Poesías

Letras Hispánicas

Miguel de Unamuno

Poesías

Edición de Manuel Alvar

CÁTEDRA

LETRAS HISPÁNICAS

Ilustración de cubierta: Martínez Novillo

© Herederos de Miguel de Unamuno
Ediciones Cátedra, S. A., 1997
Juan Ignacio Luca de Tena, 15. 28027 Madrid
Depósito legal: M. 7.887-1997
I.S.B.N.: 84-376-1513-5
Printed in Spain
Impreso en Gráficas Rógar, S. A.
Navalcarnero (Madrid)

Índice

9

Introducción

Las *Poesías* que Unamuno publica en 1907 constituyen una nutrida colección de más de 350 páginas. Decir que no todas son de la misma época o que se escribieron en tiempos diversos, sería de una ofensiva vulgaridad. Ya no lo es tanto intentar saber cómo se gestó el volumen, qué relación tiene cada texto con la situación espiritual de su autor, qué circunstancias llevaron a la selección. Porque aquí —y lo he dicho alguna vez— está buena parte del Unamuno futuro, está —también lo he dicho— el Unamuno de una problemática que intuíamos, aunque no poseyéramos la clave de su desvelo, y está, por si fuera poco, una de las creaciones más densas y originales de nuestra poesía contemporánea. Todos estos presupuestos necesitan aclaración y a todos ellos intentaremos dar respuesta. Pero procedamos con orden.

García Blanco merece nuestra gratitud por cuanto investigó la historia de los textos unamunescos. Para evitar repeticiones, me remito a él en este momento y recomiendo la lectura de unas páginas suyas[1] a las que voy a resumir: en 1899, escribió a Pedro Jiménez Ilundáin y a Luis Ruiz Contreras con su pretensión de publicar un tomito de poemas originales y algún otro traducido[2]. Un año después, los once

---

[1] Las 9-124 de *Don Miguel de Unamuno y sus poesías. Estudio y antología de textos poéticos no incluidos en sus libros,* «Acta Salmanticensia», VIII, Salamanca, 1954.

[2] La nómina no nos es completamente conocida, pero al parecer, se incluían en ella los siguientes textos: *La flor tronchada, La cigarra* (que no publicó nunca, y que puede leerse en las págs. 367-370 del libro recién citado de García Blanco), *Alborada espiritual, Nubes de misterio, El Cristo de Cabrera, Al sueño* y las traducciones *La retama* (de Leopardi), *Reflexiones al tener que dejar un*

textos originales eran ya veintisiete y, cuando el libro ve la luz, alcanzaron la respetable suma de cien[3]. Poco importarían estas minucias si en ellas no hubiera otra cosa que los números aducidos, pero desde 1884, fecha del *Árbol solitario* hasta 1907 hay una serie de hitos a los que referir el quehacer del escritor: la crisis religiosa de 1897[4], el desastre nacional de 1898 y el final de su *Diario íntimo* (1902) con todo su hondo significado. A la luz de estos hechos cobrará su verdadero sentido cuanto intentemos comentar.

LOS POEMAS DE LA CRISIS RELIGIOSA

Los poemas fechados comienzan a partir de 1899, excepción hecha del de 1884 al que ya nos hemos referido. En aquellos días, la gran crisis religiosa había concluido, pero necesitamos unas breves palabras antes de pasar adelante. Por 1895, la fe de Unamuno se ha debilitado; busca en Alcalá a su antiguo director espiritual —como antes en 1887 y 1888; como después en 1895 y 1897[5]—; su hijo, de pocos meses, tiene un ataque de meningitis y queda gravemente enfermo[6],

---

lugar de retiro (de Coleridge), *El arpa* (de Verdaguer), que no fue incluida, y *La vaca ciega* (de Maragall). Creo que a las enumeraciones de García Blanco hay que añadir el *Árbol solitario,* el más antiguo de los poemas de Unamuno (1884) e incluido en *Poesías* (pág. 86 de la edición de 1907). Cfr. *EUM,* página 22, y, después, pág. 34

[3] Cien en el índice; 102 en realidad, pues en él no se incluyeron *Al sueño* y *La sacerdotisa.*

[4] Fue estudiada por Antonio Sánchez Barbudo, «La formación del pensamiento de Unamuno. Una experiencia decisiva: la crisis de 1897» *(Hispanic Review,* XVIII, 1950, págs. 217-243) y discutidas sus conclusiones por Armando Zubizarreta, «Miguel de Unamuno y Pedro Corominas. Una interpretación de la crisis de 1897» *(CCMU,* IX, 1959, págs. 5-34). Véase también Charles Moeller, «Quelques aspects de l'itinéraire spirituel d'Unamuno», en *Unamuno a los cien años,* Salamanca, 1967, págs. 77-89.

[5] *Vid.* E. Rivera de Ventosa, «La crisis religiosa de Unamuno en su retiro de Alcalá año 1897» *(CCMU,* XVI-XVII, 1966-1967, págs. 107-133), Emilio Salcedo, *Vida de don Miguel,* Salamanca, 1970, págs. 55 y 86.

[6] Salcedo, *op. cit.,* pág. 82.

Unamuno desespera y la crisis religiosa se consuma; el *Diario* había sido comenzado antes de marzo de 1897[7], llega a mayo de ese año, se interrumpe hasta 1899. Después no hay sino una breve apuntación de 1902, cuando Unamuno ya es rector de la Universidad (1900) y se acaban los días del hijo enfermo.

Los poemas que con certeza se pueden fechar por estos días de 1899-1902, 1903 no son muchos como acabo de anotar; en ellos se reflejan los temas que conturbaron al poeta hasta pocos años antes y ninguno tiene la serenidad que inaugura la bellísima oda de *Salamanca* o la de tantos cantos dedicados a tierras y ciudades de España. Tampoco, en ellos, las preocupaciones literarias de los que encabezan el volumen. No quiero decir con esto que podamos establecer una fácil dicotomía: antes y después de 1902-1903. No. Porque en los cuadernos que perpetúan la crisis religiosa hay mucha problemática que pasará a la obra futura de don Miguel, y que será como un contrapunto nunca extinguido, cuanto más en los años iniciales de nuestro siglo. Simplemente: creo encontrar en ellos un talante espiritual que los une en forma y en contenido, o en forma y sustancia de contenido, como dicen los sabios de hoy. Y, recíprocamente, entre los poemas posteriores a 1903 están los que manifiestan una decidida preocupación por el quehacer teórico (todos los que tienen que ver con su credo poético) y un cuidado más riguroso por las formas clásicas (estrofas de endecasílabos sáficos y pentasílabos adónicos).

Alguna vez he hablado de lo que el *Diario íntimo* significa para la creación literaria de Unamuno. Ignorado hasta hace bien poco, sirve ahora como acompañamiento de cualquier intento de explicación. Por eso no resulta extraño que las confesiones puedan darnos la clave de algún aspecto de la obra de don Miguel. Lo dije a propósito de *Para después de mi muerte*[8] y confío ampliarlo ahora. De 1899 son unos cuantos poemas

---

[7] No es segura la hipótesis de Salcedo, *op. cit.*, pág. 91.

[8] *Vid.* «Unamuno en sí mismo», *apud El comentario de textos*, volumen organizado por Andrés Amorós, Madrid, 1973, págs. 242-244.

15

que nos reclaman *(Al sueño, La flor tronchada, El Cristo de Cabrera)* y de 1900, otro *(La elegía eterna),* que no puede separarse de ellos. Para acercarnos a la rápida comprensión de tales textos permítaseme narrar, muy abreviadamente, su contenido.

Al sueño es un canto de corte tradicional, sin perdonar —tampoco— ciertos ribetes retóricos. El poeta invoca al sueño en una serie de sus atributos, pero ve —también— en él al mensajero que nos hace sentir la tranquilidad que aquieta y enardece a nuestras almas. En el sueño el hombre encuentra fuerzas, y la verdad se revela esparciendo la paz; en él, la verdad eterna que nos mantiene serenos. El sueño es compañero de quienes aspiran al ideal o al lago donde reposan las ilusiones perdidas. Y como el sol, cuando se pone en el ocaso, deja vislumbrar los misterios que cercan a la tierra, así la vigilia engañadora se disipa en el sueño y deja brotar entonces las aspiraciones del ideal. El obligado prosaísmo de estas líneas sólo se justifica por la brevedad que nos han permitido, pero basta para asentar ese pilar que necesitábamos para nuestro apoyo. Veamos el segundo: en el *Diario íntimo* se van hilando conceptos semejantes.

> Una puesta serena de sol en medio del campo [...]. Algo así debe ser la gloria, una inmersión en eterna calma[9].

Mucha mayor complejidad tiene el poema a *La flor tronchada.* En sus 187 versos está un continuado paralelismo entre el campo en el que grane la semilla y el hombre dispuesto a hacer fecundar las ideas que recibe. Y del mismo modo que se bendice al Dios que permite el logro del pan, debe bendecirse al Dios que deja sazonarse a las almas. Hay que tratar de comprender a este Dios «que destruyendo crea y

---

[9] Página 35. Cfr.: «Cuando se acuesta el sol en el ocaso) / [...] / la creación augusta se revela / [...] / La creación del alma soñadora, / en campo; tan sereno / cual el del cielo en noche recogida / que a la oración convida / [...] envolviéndose en magia soberana / el fondo eterno de la vida humana / [...] Pon tu mano intangible y redentora / sobre el pecho que llora, / y damos a beber en tu bebida / remedio contra el sueño de la vida!» *(Al sueño).*

creando destruye» y, a imitación suya, luchar en la vida con las ideas fecundadoras por más que pueden producir daño. Fe, Esperanza y Amor con el vencido al que nos hemos de unir en abrazo fraterno para conseguir la vida de eterno Amor.

Todo esto no es otra cosa que la paráfrasis de unos cuantos motivos del *Diario íntimo:* el Dios Padre es Amor[10] y en su eternidad cobra sentido la esperanza de la vida perdurable, aunque nazca del dolor[11], y al entregarnos intensamente a la vida se lograrán las virtudes cristianas[12].

Un tercer poema, muy distinto, *El Cristo de Cabrera,* significa el hallazgo del paisaje, transcendido del amor de Cristo. En un solo verso se acuña una larga exposición:

> es el alma del campo
> que a su vez culto rinde
> del Hombre al hijo,
> diciendo a su manera
> con misterioso rito
> que es cristiana también Naturaleza[13].

Poco más o menos lo que en el *Diario íntimo* aparece claramente formulado: «El sentimiento del paisaje es un sentimiento moderno, se dice. Lo que es el sentimiento del paisaje es un sentimiento cristiano» (pág. 34). La conclusión se infiere de consuno: «Más de una vez había escrito yo que el

---

[10] Cfr.: «Padre; he aquí la idea viva del cristianismo. Dios es Padre, es amor» (pág. 20). «Lo más característico del cristianismo es la paternidad divina, el hacer a los hombres hijos del Creador, no criaturas meramente, sino hijos» (pág. 44), «La existencia del amor es lo que prueba la existencia de Dios Padre. El amor, no un lazo interesado ni fundado en provecho, sino el amor» (pág. 96), «La gracia divina nos la da Dios por ser nuestro Padre [...] como Padre nos ha redimido y como Padre nos ha hecho herederos de su gloria» (pág. 393).

[11] En las páginas 188-189, se lee «Del fondo del dolor, de la miseria, de la desgracia, brota la santa esperanza en una vida eterna, esperanza que dulcifica y santifica al dolor».

[12] «Hay que vivir con toda el alma, y vivir con toda el alma es vivir con la fe que brota del conocer, con la esperanza que brota del sentir, con la caridad que brota del querer» (pág. 192).

[13] Página 57 de la primera edición de *Poesías.*

hombre se sobrehumaniza naturalizándose. Sí, entrando en la naturaleza primitiva, la anterior al pecado [...]. Y a la vez se sobre-naturaliza a la naturaleza aquella humanizándola en Cristo» *(Diario,* 142) o en otras palabras:

> Y al salir de la ermita,
> al esplendor del campo
> [...]
> soñar debieron en borroso ensueño
> que [...]
> a posarse piadoso bajó al suelo
> y abrazó al campo con abrazo tierno
> el infinito Amor! (pág. 60).

La elegía eterna (1900) está formada por una serie de comentarios en torno a la fugacidad del tiempo («el pasado no vuelve, / nunca ya torna») que constan en el *Diario;* partiendo de Fray Luis de Granada, Unamuno glosa:

> volver atrás es imposible; pasar delante es intolerable; estarse así no se concede; pues, ¿qué harás? ¡terrible misterio el del tiempo! ¿Cuándo estaremos libres del tiempo, del tiempo irrevertible e irreparable? (págs. 118-119).

Y como contestando a la pregunta unos versos que —con vario tornavoz— resonarán siempre:

> Acuéstate a dormir... es lo seguro,
> hundido para siempre
> en el sueño profundo
> habrás vencido al tiempo
> tu implacable enemigo! (pág. 196).

En el *Diario* se diría «vivir para morir» (pág. 41)[14] y «tenemos la experiencia de la muerte si es que no hay otra vida, y

---

[14] En el mismo poema se escribe este endecasílabo: «¿Vida? La vida es un morir continuo» (pág. 194), que reaparecerá en el *Rosario de sonetos líricos* («este vivir, que es el vivir desnudo, / ¿no es acaso la vida de la muerte?», Soneto IV), y en *Teresa* («Vivir es solamente, vida mía, / saber que se ha vivido, / es morir a sabiendas dando gracias / a Dios de haber nacido», poema 15). «¿Vida? La vida es un morir continuo», *Poesías,* 194. Recuerda claramente a Quevedo.

esta experiencia es la del sueño profundo. Morir sería entonces dormirse para siempre» (pág. 293).

A lo largo de estas páginas irán asomando acercamientos y
correlaciones. Basten ahora estas pocas líneas de introducción: el contenido de muchos poemas no será otra cosa que
el del *Diario;* lo que variará será la forma de expresión, pero
no podemos hacer insolidaria la problemática de *Poesías* de la
experiencia vivida por el hombre. En el momento oportuno
veré en qué consiste la oposición y los logros que se alcanzan
de una u otra manera. Quede señalado ahora —tan sólo— el
acercamiento en ese manojo de textos.

TEMAS REITERADOS

En *Poesías* están algunos motivos que se repetirán continuamente en la obra de Unamuno. Por más que la crisis religiosa terminara, no acabó nunca la preocupación por algo
que era mucho más que un episodio. La crisis significó, sí, la
necesidad de decidir; no la capacidad de relegar el drama al
olvido. Antes bien, quedaba el sedimento de cuanto se había
sufrido como un sustento de la propia vida.

En el *Diario íntimo* se escriben unas cuantas palabras angustiadas: «Quiero consuelo en la vida y poder pensar serena-
mente en la muerte. Dame fe, Dios mío, que si logro fe en
otra vida, es que la hay» (pág. 35) y unas páginas después am-
pliará sus conceptos: «La esperanza es la fuente de la felicidad, y la fe la madre de la esperanza» (pág. 190)[15]. Pero lo que
Unamuno buscaba no llegó; acabado el *Diario* se había perdido la fe y con ella la esperanza. Si en un soneto de *Poesías*
se dice:

---

[15] Cfr. Charles Moeller, *Desesperación esperanzada; y esperanza bíblica* en el
estudio que dedica a nuestro autor (*Literatura del siglo XX y cristianismo,* t. IV,
Madrid, 1958, págs. 150-160). Vale para nuestro tema el trabajo de Alfredo
Lefebvre, «En el cantar de Unamuno», en el libro colectivo *Unamuno,*
Universidad de Chile, 1964, págs. 76-94. Véase también Hernán Benítez, *El
drama religioso de Unamuno,* Buenos Aires, 1949, y una curiosa conferencia de
José Miguel de Azaola, *Unamuno y su primer confesor,* Bilbao, 1959.

Tengámosla, no importa en lo que sea
fe pura y libre y viva, abrasadora,
[...]
fe en la fe misma, inacabable aurora![16].

El *Salmo II*[17] plantea ya unos problemas totalmente distintos; son los que atañen a la duda y que se arrastrarán años y años. Unamuno trata de justificarse con el *Evangelio* y la cauda durará toda la vida, desde el *Diario* hasta *La agonía del cristianismo*[18]. En un texto escrito entre los días 16 y 19 de mayo de 1897 dice:

> Perdí la fe pensando mucho en el credo y tratando de racionalizar los misterios, de entenderlos de modo racional y más sutil. Por eso he escrito muchas veces que la teología mata al dogma. Y hoy, a medida que más pienso, más claros se me aparecen los dogmas y su armonía y su hondo sentido. ¿Cabe mayor mostración del dedo de Dios? Me hace recobrar lo que perdí por camino inverso a aquel porque lo perdí; pensando en el dogma lo deshice, pensando en él lo rehago. Sólo que donde hay que pensarlo y vivirlo es en la oración. La oración es la única fuente de la posible comprensión del misterio (pág. 329).

Pero Unamuno no permaneció en estas palabras. Quiso que la oración sirviera para resolver sus propias congojas, las que le nacían del dolor del niño enfermo sin culpa, y las negaciones le llevaron a la ruptura con su propia fe. Humanamente estos desgarros nos producen un profundo respeto y una sincerísima explicación[19]; las razones intelectuales que

---

[16] *Fe*, pág. 320, de *Poesías* (1907). *Vid.* Mario J. Valdés, *Death in the Literature of Unamuno*, Urbana, 1964.

[17] No tenemos referencias a su fecha, por el tono y la temática creo que corresponde a una época tardía dentro del conjunto. Me atrevo a pensar en el año 1906 cuando se escribieron los *Salmos I y III*.

[18] *Vid.* «Unidad y evolución en la lírica de Unamuno», *apud Estudios y ensayos de la literatura contemporánea*, Madrid, 1971, págs. 113-114.

[19] «¿Contradicción? ¡Ya lo creo! ¡La de mi corazón, que dice sí, y mi cabeza, que dice no!» *(Del sentimiento trágico de la vida, O. C.,* XVI, pág. 140). La solución de la crisis está clara en el epistolario con Jiménez Ilundáin: «Ahora que he entrado en relativa calma, creo que voy rehaciéndome

puedan justificarlos son de muy otra naturaleza. El *Diario ínti-mo* termina con dos brevísimas apostillas (de 1899 y de 1902), a las que preceden las últimas líneas de 1897:

> Esa sombra pura que atraviesa los siglos, sobre las aguas del mundo y sin sumergirse en ellas crees sea un fantasma, más aun si le pides poder caminar también tú sobre las aguas del mundo sin hundirte en ellas. Pero te falta fe y te sientes sumergirte y le pides que te salve. Y entonces te dice: «Hombre de poca fe, ¿por qué has dudado?» (págs. 409-410).

Pocas líneas después el *Diario* acaba. Lo que parecía una fórmula retórica era —nada menos— la proyección sincerísima de un alma. La poca fe llevó a la duda y, luego, a su total pérdida. Todo lo que después se intente no será sino el deseo de comprender el propio drama personal. Es harto sintomático que el libro proyectado como *Tratado del amor de Dios* acabara siendo *Del sentimiento trágico de la vida en los hombres y en los pueblos*[20] y en él se leen unas líneas que necesito incorporar a estos comentarios:

> ¡Creo, Señor: socorre a mi incredulidad! Esto podrá parecer una contradicción, pues si cree, si confía, ¿cómo es que pide al Señor que venga en socorro de su falta de confianza?

interiormente, merced a la *razón práctica,* al corazón, que edifica sobre las ruinas que la *razón teórica* acumuló» (*UI*, pág. 263). Por los años de *Poesías,* Unamuno publicó no pocos textos con la preocupación religiosa que comento. En 1907, apareció en *La Nación* de Buenos Aires «Mi religión», que se incluyó en el libro *Mi religión y otros ensayos breves,* de 1910.

[20] En 1896 escribió a *Clarín* que tenía presto un libro, *El reino del hombre,* que —luego— pensó refundir con *El reino de Dios* (1897). En esta última fecha inicia unas *Meditaciones evangélicas,* que alimentaron las páginas *Del sentimiento* y de las cuales leyó anticipo en el Ateneo madrileño (1899). *Vid.* el *Prólogo* de M. García Blanco al tomo XVI de las *O. C.,* págs. 13-22, y una carta (1903) a Maragall *(EUM,* pág. 28). Tanteó la forma dialogada en algunos de estos proyectos según contaba en 1900 a su amigo Jiménez Ilundáin *(UI,* pág. 204). Sabemos que el *Tratado* lo comenzó en 1906, pues en una carta a Pedro de Múgica (13-IV-1909) le dice: «sigo trabajando en mi *Tratado de amor de Dios,* donde voy dejando hace ya tres años, todas mis inquietudes y tristezas» (cita de *O. C.,* XVI, pág. 21). Al empezar las entregas *Del sentimiento* en la *España moderna* (1911), dice a Jiménez Ilundáin que ha fundido en él su *Tratado (UI,* pág. 426).

Y, sin embargo, esa contradicción es lo que da todo su más hondo valor humano a ese grito de las entrañas del endemoniado. Su fe es una fe a base de incertidumbre. Porque cree, es decir, porque quiere creer, porque necesita que su hijo se cure, pide al señor que venga en ayuda de su incredulidad, de su duda de que tal curación pueda hacerse tal es la fe humana[21].

Necesito de estas líneas porque hay un claro trasunto de lo que fue el proceso anímico de don Miguel. También él, con el hijo enfermo, pidió; pretendía que el milagro bajo la forma de la curación, pudiera hacerse, pues —bien lo sabía don Miguel— tal es la condición de la fe humana: «He tentado al Señor pidiéndole un prodigio, un milagro patente, cerrados los ojos al milagro vivo del universo y al milagro de mi mudanza» *(Diario,* pág. 20). Si este milagro era, como parece, la curación de Raimundín, cierto que no se cumplió, y la fe humana quedó aniquilada en el camino. Entre estos hitos (el proceso que señala el *Diario* la explicación *Del sentimiento)* están los *Salmos I* y *II* de *Poesías,* respuestas a Richepin[22], y pero —también— tortura de su propia conducta, desasosiego de una crisis religiosa que no se resolvió con la ruptura. Quijotescamente podría decir: «Mi cuerpo vive gracias a luchar momento a momento contra la muerte y vive mi alma porque lucha también contra su muerte momento a momento. Y así vamos a la toma de una nueva afirmación [... y] proclamarán los nietos de nuestros nietos la afirmación última, y crearán así la inmortalidad del hombre»[23]. Estos *Salmos* eran el anhelo de comunicación religiosa que palpitaba en el *Diario íntimo,* pero eran lo que el poeta, como poeta, quería transfundir. No una confesión en voz baja cuyo secreto se quebrantaría al difundirse, sino la comunicación lírica que lograra el resón de simpatía en los demás[24]. No creo

---

[21] *O. C.,* XVI, pág. 248. Cfr. *La agonía del cristianismo, O. C.,* XVI, págs. 468 y 507. Cfr. Roberto Torretti, *Unamuno, pensador cristiano,* en *Unamuno,* Universidad de Chile, 1964, págs. 95-112.

[22] *Vid.* «El problema de la fe en Unamuno», *apud Estudios y ensayos* ya citados, págs. 39-159.

[23] *Vida de don Quijote y Sancho, O. C.,* IV, pág. 228.

[24] Cfr. José Miguel de Azaola, «Las cinco batallas de Unamuno contra la muerte» *(CCMU,* II, 1951, págs. 57-65).

que Unamuno consiguiera su propósito: en 1907 publica *Mi religión* y, por si hacía falta aclarar las cosas, descorre el velo, con lo que el recato se rompe y el sentido queda transparente:

> Los salmos que figuran en mi volumen de *Poesías* no son más que gritos del corazón, con los cuales he buscado hacer vibrar las cuerdas dolorosas de los demás. Si no tienen esas cuerdas, o si las tienen tan rígidas que no vibran, mi grito no resonará en ellas y declararán que eso no es poesía, poniéndose a examinarlo acústicamente [...]. Esos salmos de mis *Poesías,* con otras varias composiciones que allí hay, son mi religión[25].

Religión y poesía se habían identificado en el alma de don Miguel, algo así como Walt Whitman querría:

> After the noble inventors, after the scientists, the
>   chemist, the geologist, etnologist,
> finally shall come the poet worthy that name,
> The true son of God shall come singing his songs[26].

Estamos devanando una serie de problemas que no hacen sino cercar a una palabra testimonial: *dolor*[27]. Y en este momento se nos enlazan la biografía (angustia ante el hijo hidrocefálico), la vida histórica (la tragedia de la patria) y la religión (el silencio de Dios). Incapaz de encontrar solución humana a cuanto le rodea, Unamuno descubre el auténtico sentido del dolor. He aquí una nobilísima conducta acaso no valorada. Porque estamos acostumbrados a ver en don Miguel una serie de comportamientos espectaculares en sí mismos o en cuanto tienen de posibilidades de repetición colectiva: su religiosidad, como espejo de una crisis del catolicis-

---

[25] *O. C.,* XVI. pág. 123.
[26] *Complete Poetry and Selected Prose,* James E. Miller, Jr. (ed.), Cambridge, Mass., 1959; *Passage to India,* 5, págs. 290-291.
[27] Acepto *le mot-témoin* de Matoré como «símbolo material de un hecho espiritual importante» por más que mis precisiones tengan un carácter totalmente distinto que el sociológico; sin embargo, la terminología —y sólo ella— nos es útil para caminar (Georges Matoré, *La méthode en lexicologie,* 1973, págs. 65-66).

mo nacional; su conducta política, como expresión de la trágica dicotomía del pueblo español; su valentía cívica, como repudio de la cobardía acomodaticia[28]. Pero nos olvidamos mucho —naturalmente hay que hacer salvedades[29]— de esa veta de ternura y de emoción humana que va surgiendo silenciosa y continuamente del alma de don Miguel. Y es, precisamente, lo que expresa la palabra *dolor,* tan llena de connotaciones a lo largo de su obra, pero es bueno no olvidar que los primeros textos que tienen un sentido perdurable son, justo, unas apostillas del *Diario íntimo* y su desarrollo a partir de unos poemas de su primer libro. En sus confidencias había escrito:

> Del fondo del dolor, de la miseria, de la desgracia, brota la santa esperanza de una vida eterna que dulcifica y santifica al dolor. Del seno de la vida fácil y grata brota la desesperación de hundirse en la nada *(Diario,* págs. 188-189).

> No pensar en la muerte. ¡Imposible! Cuanto más se goza más se piensa en ella. ¡Feliz quien en ella piensa desde el seno del dolor! *(Ibíd.,* pág. 191).

Su largo poema *Por dentro* es, tal vez, lo más significativo que en este momento puedo aducir. Y no quiero silenciar algo que me parece sintomático. Unamuno que tanto habló de sus versos y que tanto los reelaboró antes y después de publicarlos, guardó un total silencio sobre éstos. De ellos sólo sabemos por su inclusión en *Poesías.* Como si un delicado pudor le impidiera manifestar lo que guardaba para sí o para los futuros —e ignorados— lectores[30]. El poema es bellísimo

---

[28] En su amado Carducci se quieren apreciar virtudes semejantes: «la schiettezza intimamente italiana, la serenità classica, l'ardenza patriottica, la dignità civile» (cit. por Carlo de Grande en la *Introduzione* a *Tutte le poesie,* de G. Carducci, Basiano, 1967, pág. 13).

[29] *Vid.* Luis Granjel, *Retrato de Unamuno,* Madrid, 1957, págs. 123-128; Carlos Blanco Aguinaga, *El Unamuno contemplativo,* México, 1959, capítulo IV; Armando F. Zubizarreta, *Unamuno en su «nivola»,* Madrid, 1960, págs. 262-271); Emilio Salcedo, *Vida, op. cit.,* págs. 82-84 y 115-116.

[30] Creo que esta interpretación se ampara en todo el primer fragmento del poema.

y de inusitada ternura bajo apariencias metafísicas y sociales.
Su sentido es bien claro si partimos de unos versos del fragmento II:

> (Calla, mi amor, cierra tu boca fresca,
> que así te quiero
> [...] Calla que hay otro mundo
> por dentro del que vemos
> un mundo en el que tejen las tinieblas
> y es todo cielo.)

Y del remate del poema:

> (Callemos ya, mi amor en el silencio
> la dulcedumbre de la pena guarda;
> callemos ya, mi amor, harto te dije,
> voy a callarme... calla!)

Entre estos dos tajamares, el arco bajo el que va pasando
un río de dolor. Tal vez el poema naciera como consecuencia de la muerte del hijo (1902); indudablemente se refiere al
dolor que su presencia produce en el corazón de la madre.
La apariencia objetiva del canto no es sino la veladura de una
serie de motivos personales que apenas si se pueden intuir:
para que cobren sentido hace falta situar estos versos en todo
el contexto vital de Unamuno. Entonces se puede hermanar
con algunas de las líneas recién transcritas del *Diario*, pero
ahora con un sentido más transcendente: el dolor personal
se ha convertido en sustento de toda la creación; cada uno
de nosotros no somos sino la menuda partecilla de un hecho
universal que, desde nosotros, podemos explicarlo y comprenderlo. El hombre en soledad y desasimiento de cuanto
le rodea puede identificarse con su propia pena («Baja, pues,
al silencio, / y espera a que el dolor allí te rinda»), pues sólo
en ella cobrará sentido la vida («Es el dolor la fuente, / de que
la vida brota», «Es el dolor del árbol de la vida / la savia vigorosa») y, en la vida, toda la creación:

> Cuando el mundo va hundirse en la inconciencia
> Dios surge y sopla!

Y es su soplo dolor, dolor intenso
que a las almas azota,
y las almas buscando algún alivio
se revuelven ansiosas
y hacen el mundo
que así resulta ser del dolor obra.

La siembra de la inmortalidad vencedora del tiempo («es el dolor eternizado el único / que cura del que mata») producirá granazón en el más hondo de sus libros. No voy a insistir demasiado; léase el capítulo VII, de donde extraigo estas líneas:

El dolor es el camino de la conciencia, y es por él como los seres vivos llegan a tener conciencia de sí. Porque tener conciencia de sí mismo, tener personalidad, es saberse y sentirse distinto de los demás seres, y a sentir esta distinción sólo se llega por el choque, por el dolor más o menos grande, por la sensación del propio límite[31].

El dolor es la sustancia de la vida y la raíz de la personalidad, pues sólo sufriendo se es persona[32].

Pero en la problemática elaboración de Unamuno —alargado el dolor hasta convertirlo en congoja de todo lo existente— los resultados de su tesis van más allá de lo que *Poesías* anotaba: lo que había sido el dolor personalísimo y humano ante la enfermedad y muerte del hijo, ahora —en desesperanza— se proyecta a todo el universo y no se puede encontrar asidero para la evasión: Dios, en palabras de Unamu-

---

[31] *Del sentimiento trágico, O. C.,* XVI, pág. 268. Motivos de este capítulo (págs. 266-267) aparecen en *Aldebarán (Rimas de Dentro, O. C.,* XIII, págs. 882-886), que puede ser coetáneo de los textos en prosa (se escribió en 1908).
[32] *Del sentimiento,* pág. 331. Añádase un texto de la página siguiente: «No hay verdadero amor sino en el dolor, y en este mundo hay que escoger o el amor, que es el dolor, o la dicha. Y el amor no nos lleva a otra dicha que la del amor mismo, y su trágico consuelo de esperanza incierta [...]. El hombre es tanto más hombre, esto es, tanto más divino cuanta más capacidad para el sufrimiento, o mejor dicho, para la congoja tiene.»

no, sufre también y el hombre no acierta —porque no existe— con la senda que le lleve a la felicidad[33].

TIERRAS DE ESPAÑA

La personalidad de Unamuno no está hecha de retazos. Es una armónica y ciclópea unidad. Todo su mundo manifiesta una exacta coherencia apoyada en un substrato religioso. Al pasar por unas páginas anteriores, hemos visto cómo la creación del paisaje es en don Miguel un problema estético, pero condicionado por su compromiso doctrinal[34]; en otras ocasiones he podido ver cómo su libro *Poesías* encierra la problemática de la supervivencia sintiéndola en la vida de una ciudad[35], o como consecuencia de su propio quehacer poético[36]; pero siempre, trabado todo por una religiosidad que daba transcendencia a cada uno de sus gestos. El soneto *Al destino* (1901) podría ser el punto de partida a nuestros comentarios:

> Quiero mi paz ganarme con la guerra,
> conquistar quiero el sueño venturoso,
> no me des ocio el que tu entraña encierra
> de esclarecer enigma tenebroso,
> y cuando al suelo torne de la tierra,
> haz que merezca el eternal reposo.

---

[33] Cfr.: «Y la fórmula, terrible, trágica, de la vida íntima espiritual es, o lograr la más dicha con lo menos de amor, o lo más de amor con lo menos de dicha. Y hay que escoger entre una y otra cosa. Y estar seguro de que quien se acerca al infinito del amor, al amor infinito, se acerca al cero de la dicha, a la suprema congoja» *(Del sentimiento,* pág. 333).

[34] Ténganse en cuenta las páginas «Unamuno y el paisaje de España», *apud Estudios y ensayos,* ya citados, págs. 160-176, y añádase *EUM,* pág. 23. También merecen ser consideradas las págs. 298-306 del libro de C. Blanco Aguinaga, *Juventud del 98,* Madrid, 1970. Hay un libro antiguo que se ocupa de algunos puntos de los que aquí considero; Arthur Wills, *España y Unamuno, un ensayo de apreciación,* Nueva York, 1938.

[35] «Símbolo y mito en la oda "Salamanca"», *CCMU,* XXIII, 1973, págs. 49-70.

[36] «Unamuno en sí mismo: "Para después de mi muerte"», *apud El comentario de textos,* Madrid, 1973, págs. 240-270.

He aquí cómo la vida del hombre se convierte en el sustento de unos problemas de muy variado perfil, pero este hombre, tan constreñido por la historia, no se zafa de la tierra sobre la que vive. Es significativo que muchos poemas de su libro, los muy bellos que dedica a ciudades y tierras de España, sean posteriores al año crucial de 1902: algo así como si en el suelo de la patria buscara enraizarse, una vez que se frustró el sentido ortodoxo de su religiosidad, y es digno de considerar que, en el *Diario,* no haya ninguna alusión a los amargos días de España, aunque sí unas líneas que, fuera de ese libro y cuando el problema religioso ha quedado lejos, se irán desarrollando hasta convertirse en un tratado patriótico.

> ¿Qué hace la comunidad del pueblo sino la religión? ¿Qué les une por debajo de la historia, en el curso oscuro de las humildes labores cotidianas? Los intereses no son más que la liga aparente de la aglomeración, el espíritu común lo da la religión. La religión hace patria y es la patria del espíritu *(Diario,* pág. 25).

Vemos, pues, que en *Poesías* el sentido de la patria no está condicionado por avatares concretos. Hay —sin embargo— la emoción irrestañable ante las ciudades y los paisajes de España. Algo que es duradero por encima de cualquier contingencia: el amor a unas tierras que va conociendo y la emoción ante las obras que cumplieron unos españoles de excepción. Por eso se sentirá cerca de Carducci, que con sus poemas contribuyó «a fraguar un pueblo»; lo que él, el poeta civil llamado Unamuno, también querría hacer, o haber hecho. La postura de Unamuno ante la circunstancia histórica que le tocó vivir está en una conversación que tuvo con Guerra Junqueiro; más aún, la serenidad de esos poemas que dedica a Castilla, a Vasconia, a Cataluña, es el sedimento que van dejando sus meditaciones españolas. Cuando llegaron los días acedos del desastre, no hubo gritos que se irguieran del dolor de la patria, y es que «ustedes no tienen un poeta», decía Guerra Junqueiro. La respuesta de Unamuno era tajante: «Acaso tengamos poetas, pero no son patriotas»[37]. Como

---

[37] *O. C.,* IV, pág. 893; *EUM,* pág. 114, y *UI,* pág. 277.

un tributo de amor fueron naciendo esos poemas que se incluyeron en *Poesás*, deuda pagada por aquellos otros días de vergüenza en que las voces españolas quedaron enmudecidas: «así un hombre no siente lo que tiene en derredor, lo concreto, lo tangible, la patria, podrá ser un gran filósofo, un gran pensador, un gran sociólogo; pero un poeta, no». Para dar la razón a Junqueiro está aquí una parvada de textos que con otras páginas, de Azorín, de Baroja, de Machado, cuentan para siempre en nuestra visión y en nuestro amor a España. Los años acrecerían las andanzas; pero las *Poesías* son —ya— una interpretación de Castilla, una visión poetizada de la Vasconia natal; también, un concretísimo y generoso enriquecimiento: el amor a Cataluña.

Castilla y Vasconia aparecen hermanadas en los tres artículos que —1889— dedicó a Alcalá de Henares[38]. La primera Castilla que Unamuno descubre es un eco de tristezas: tristezas en la grandeza perdida y tristeza en el sobrio campo, pero «¡qué hermosa la tristeza enorme de sus soledades, la tristeza llena de sol, de aire, de cielo!». Los hombres que pueblan una ciudad como Alcalá son insolidarios y recelosos, como si para ellos hubiera acuñado Bacon el *Magna civitas, magna solitudo;* los que atraviesan los campos son lugareños de color de tierra, «encaramados en la cabalgadura». Sin embargo, Unamuno —ya en este primer contacto— ha descubierto un hondo sentido al paisaje de Castilla; más aún, lo ha humanado en el símbolo impar de la estirpe: los horizontes dilatados de la tierra, le hacen pensar en los «horizontes dilatados del espíritu de don Quijote, horizontes cálidos, yermos, sin verdura». Pero este paisaje es bello, no comparable al de Vizcaya, sino con otra suerte de belleza:

> En Castilla, el espíritu se desase del suelo y se levanta, se siente un más allá y el alma sube a otras alturas a contemplar sobre estos horizontes inacabables y secos una bóveda azul y transparente, inmóvil y serena[39].

---

[38] *O. C.,* I, págs. 145-163.
[39] *O. C.,* I, pág. 153. De cómo Unamuno trató de entender los pueblos a los que se dedica los textos poéticos que me ocupan, puede verse en este testimonio de una carta a Jiménez Ilundáin:

Unamuno acaba de evocar un tipo de belleza poemática, la de Fray Luis de León, y acaba de identificarse con Castilla en ese intento de desasirse de la tierra para buscar una evasión celestial. Es —1889— el arranque de las *Poesías de Castilla:* no es necesario siquiera aducir nombres o referencias.

Pero al mismo tiempo, Unamuno no se ha desprendido, nunca se desprendería, del amor a su paisaje natal, de la visión suave y muelle, diríamos que poco unamunesca, de su Vizcaya. Si Castilla es en este primer ensayo la intuición del desasimiento, el País Vasco no ha superado todavía una realidad concreta y materializada[40]. Creo que todo lo que va a ser su visión de España acaba de ser descubierto en los duros campos de la Alcarria, cuanto haga una elaboración posterior, será purificar la ganga que arrastra de unos recuerdos aún no poetizados. Es el paso que va a dar desde «mi corazón es [...] de carne, y prefiere a esta austera poesía el lirismo ramplón de nuestras montañas» hasta la intelección del

> Como tu cielo es el de mi alma triste
> y con él llueve tristeza a fino orvallo,
> y como tú entre férreas montañas,
> sueño agitándome.

Cataluña es —en *Poesías*— el paisaje sin referencias. No el cotejo para deducir valoraciones, sino la realidad válida en sí

¡España no morirá! No muere así como así toda una nación, ni se encuentra tan mal como por ahí y por aquí se dice. Hay «bárbaros» que mediante una invasión pueden salvarla, y esos «bárbaros» están dentro, vendrán de dentro, surgirán de las profundidades. No se sabe de lo que es capaz el pueblo bajo castellano, rudo, tosco y nada espiritual. Lo único que necesita es la invasión del dinero, que de la periferia puede venir *(UI*, pág. 325).

Vid. también la página 331 del mismo epistolario.
[40] En la página 155 se leen estas líneas:

Prefiero mis encañadas frescas, mis paisajes de nacimiento de cartón el cielo de nubes, los días grises, todo lo que acompañado de tamboril y chistu, después de merendar bien y beber buen chacolí, da una alegría agria.

El amor seguirá en línea de purificación *(UI*, pág. 420).

misma, y por sí misma, a la que se intenta aprehender con *inteletto d'amore*. Merece la pena que nos detengamos en ello.

Cuando en 1906 pasa unas semanas en Barcelona, cuenta con la compañía egregia de Juan Maragall, «nobilísimo poeta», hombre religioso y bueno. A él dedica un texto clave, *La catedral de Barcelona*. El poema es espléndido y fundamental para lo que quiero anotar: la visión del templo es mucho más que la fruición artística; es la fusión de la arquitectura religiosa con el alma del hombre («entra en mi pecho y bajaré hasta el tuyo; / modelarán tu corazón mis manos / [...] / convirtiéndolo en templo recojido») y es la visión que —a través de ella— hace de un mundo que —en su condición de lingüista— le resulta entrañable:

> Canta mi coro en el latín sagrado
> de que fluyeron los romances nobles,
> canta en la vieja madre lengua muerta
> que desde Roma, reina de los siglos,
> por Italia, de gloria y de infortunio
> cuna y sepulcro, vino a dar su verbo
> a esta mi áspera tierra catalana,
> a los adustos campos de Castilla,
> de Portugal a los mimosos prados,
> y al verde llano de la dulce Francia.

Y fueron esos cuatro últimos versos transcritos los que Maragall señaló a don Miguel[41], aunque no fueran los que a él le gustaran. Y es cierto que uno y otro tenían su razón: para Unamuno, los versos preferidos eran aquéllos en los que puso lo «más intenso»; para Maragall, los impresionistas que ahorran mayores descripciones[42]. Unamuno estaba

---

[41] *Leyendo a Maragall*, I, *O. C.*, V, pág. 654, y la carta del poeta catalán del 16 de enero de 1906 *(EUM*, pág. 32).

[42] El gran poeta catalán discutió —y no tenía razón— si sería preferible poner *de la Francia dulce*. No tenía razón porque el sintagma de Unamuno estaba aludiendo a la tradición de la literatura francesa. Sin embargo, Maragall no le discutió lo de la *áspera tierra catalana,* que es desafortunado. ¿*Áspera* la tierra catalana? Para mí lo más hermoso de Cataluña no son sus asperezas, sino la blandura de sus campos, el verde suave, el equilibrio de sus montes y sus llanos, los matices —infinitos y cambiantes— de sus paisajes.

dentro de su quehacer más hondo al identificar con sus propios sentimientos religiosos lo que era un pedazo del cristianismo, cuando no creación supratemporal del espíritu del hombre; de ahí que al caracterizar a las regiones de Hispania con un adjetivo busque lo que es tópico, porque así se identifica fácilmente con la verdad:

> Venid a mí, que todos en mí caben,
> entre mis brazos todos sois hermanos,
> tienda del cielo soy acá en la tierra,
> del cielo, patria universal del hombre.

Pero Maragall miraba sin desasirse de la realidad. No quería —acaso no podía— ver sino el equilibrio de la aguja, la perfección de las torres octogonales. Era su visión artística de Cataluña: no transcendida, sino inmediata. Lo que allí estaba. Y fue a fijarse en los versos que marcaban la diferencia de unos pueblos gracias al espejo de su lengua. Desde el latín litúrgico iban brotando los romances peninsulares —portugués, castellano, catalán—, iban brotando las otras lenguas de la Romania —italiano, francés. Eso era lo que a Maragall le atraía del poema de don Miguel; la identificación de la tierra con la lengua de sus hombres. No en vano, en ocasión solemne, don Miguel recordaba los versos en que el gran poeta catalán hablaba su lengua regional, a la madre común:

> Escolta, Espanya. — la veu d'un fill,
> que et parla en llengua — no castellana;
> parlo en la llengua — que m'ha donat
> la terra aspra:
> en 'questa llengua — pocs t'han parlat;
> en l'altra, massa[43].

Algo que es Claudio de Lorena o Patinir, algo que difícilmente se encuentra en el resto de esta *ancha y espaciosa España*. Pero Maragall mal podía censurar el adjetivo desgraciado: Unamuno con él rendía tributo al amigo: *la terra aspra* era Cataluña en la hermosísima *Oda a Espanya,* que Unamuno pensó traducir *(EUM,* pág. 34; también en las págs. 43 y 46).

[43] *Discurso sobre la lengua española,* pronunciado en las Cortes Constituyentes de la República (18 de septiembre de 1931), *vid. O. C.,* V, pág. 696. Sobre el alcance de este poema en la obra maragalliana pueden verse las páginas 31-34 del libro de Mercedes Vilanova, *España en Maragall* (Barcelona, 1968).

Unamuno entendió bien a su amigo y, sin duda, comprendió el sentido de la preferencia que le guiaba al leer los versos de *La catedral de Barcelona;* por eso al recordar al poeta muerto, escribió palabras de verdad:

> Maragall, como excelso poeta, religiosamente poeta, sentía la santidad de la palabra y pocos habrán rezado con más entrañada intimidad que él aquello de: ¡santificado sea tu nombre! Sentía la santidad de la palabra y que no se debe profanarla[44].

El sentido del paisaje había sido descubierto desde el cristianismo; en Salamanca —a partir de 1891— Unamuno «empezó a sentir el pulso de España en sus paisajes»[45]. Paisajes, religión y patria se le unirían metafísicamente para siempre. Vizcaya fue el terruño entrañable; Castilla, el sentido de la vida; Cataluña, vista y sentida a través de Maragall, la variedad que enriquece y matiza a la patria común[46]. Tríptico de amor en *Poesías* para iniciar —ya en esta primera andanza— la comunicación espiritual de las tierras hispánicas a las que incorporaría —y no sin fervor— sus visiones portuguesas[47].

Los poemas domésticos

La idea del Unamuno torturado por los problemas religiosos o preocupado por las cuestiones cívicas nos ha borrado

---

[44] *Leyendo a Maragall,* II, *O. C.,* V, pág. 657. Para las relaciones entre ambos escritores véanse las páginas 122-138 de la obra recién aducida de Mercedes Vilanova y Fermín Estrella Gutiérrez, *Unamuno y Maragall (historia de una amistad),* Buenos Aires, 1964.

[45] *Vid.* mi edición de *Paisajes,* Madrid 1966, pág. 23. Unamuno pensó publicar un volumen —ilustrado por él mismo— de cantos a ciudades de España. No lo hizo, pero en 1961, Manuel García Blanco los recogió en el libro *Poemas de los pueblos de España.*

[46] Faltan elementos para caracterizar la visión de España en un libro escasamente interpretativo y mal informado: René Marill Albéres, *Miguel de Unamuno,* Buenos Aires, 1952, págs. 54 y ss.

[47] De 1907 es el poema *Portugal,* que se ha publicado en *MUP,* pág. 384. Un año antes estuvo en Oporto y allí escribió *En una ciudad extranjera,* que incluyó en *Poesías.* Para su devoción a otro pueblo peninsular, *vid.* Miguel de Ferdinandy, *Unamuno y Portugal (CCMU* II, 1951 págs. 111-131) y Julio García Morejón, *Unamuno y Portugal,* Madrid, 1964.

una imagen amable e íntima del gran poeta. En la nota 29 he dado una breve bibliografía, que ahora quisiera ampliar con otros comentarios. Emilio Salcedo, que de niño vio alguna vez a Unamuno, guarda de él un recuerdo de ternura. Puedo confirmarlo con otro testimonio: en 1964 y 1965 hice encuestas en la isla de Fuerteventura; uno de mis informantes —no es necesario decir que de la condición social más humilde— recordaba a don Miguel: lo alzó del suelo y lo llevó en brazos, un día que él —niño— había caído y lloraba[48]. Sí, lo sé, son sentimientos humanos y elementales. Pero ¿no son sentimientos humanos y elementales los que derivan del amor a la mujer propia? Y, sin embargo, no parecen demasiado frecuentes en nuestra poesía. Más aún, poeta de tan distinta condición que Unamuno —Luis Cernuda— verá con toda la razón que la extrañeza que su poesía produjo se debía a cantar un tríptico de sentimientos poco usuales: familia, patria y religión[49]. Al ir acercándome a estas *Poesías* he visto —sin recordar para nada el texto de Cernuda, aunque *a posteriori* haya coincidido con él— que lo caracterizador de estos poemas son, en verdad, las notas que señaló el autor de *La realidad y el deseo*.

Unamuno —y coincide con sus compañeros de generación— fue un hombre de austeridades. Charles Moeller lo ha evocado junto a Péguy en la sencillez de sus costumbres[50]. Yo pienso que tiene razón y aun habría que asociarlos en su apasionamiento, en su falta de ironía (lo que no quiere decir que no pudieran ser feroces en la polémica o el sarcasmo), en su voluntad de insertar lo divino en lo humano, en su socialismo (del que uno y otro se retiraron), en su incansable vocación de trabajo. Sí, y hasta en cosas más triviales, pero que podrían condicionar sus propias poéticas: uno y otro eran admirables lectores... Este sentido de ternura y de amor familiar hace que la poesía de Unamuno presente —¿no lo tuvo también la poesía de Péguy?— un aire desusado y extraño en

---

[48] Lo conté en la nota 30 del prólogo que puse a *Paisajes* (Madrid, 1966, pág. 21).
[49] *Vid.* más adelante, nota 60.
[50] *Lit. siglo XX,* ya citada, t. IV, pág. 85.

las normas de su tiempo. Y de cara al futuro cierto sesgo extraño —ya en *Poesías*— al mezclar, pero no fundir Bécquer con Bartrina, con resultados muy distintos a lo que Campoamor pudiera significar. En su emocionante correspondencia con Maragall escribió unas líneas bellísimas:

> En su última carta me hablaba usted de mi tienda de campaña. Sí, en mi vida de lucha y de pelea, en mi vida de beduino del espíritu, tengo plantada en medio del desierto mi tienda de campaña. Y allí me recojo y allí me retemplo. Y allí me restaura la mirada de mi mujer, que me trae brisas de mi infancia. Nos conocimos, de niños casi, en Bilbao; a los doce años volvió ella a su pueblo, Guernica, y allí iba yo siempre que podía, a pasear con ella a la sombra del viejo roble, del árbol simbólico. Y allí me casé. A mi mujer la alegría del corazón le rebosa por los ojos, y ante ella tengo vergüenza de estar triste. Un día, hace años, cuando me preocupaba lo cardiaco, al verme llorar presa de congoja, lanzó un ¡hijo mío! que aún me repercute. Y ésta es mi tienda de campaña[51].

Concha Lizarraga era esta mujer a la que siempre vivió unido y a la que vio partir un día sin regreso («¡Y en lo hondo... ella!»). Aquí en *Poesías* los versos de madurez viril a la esposa —ojos, manos— que sentía, sufría y gozaba a su lado. Cartas éstas y versos éstos que emocionaban a su amigo Maragall, gran poeta de la vida doméstica, que en nuestra historia literaria evoca el recuerdo de su paisano Boscán.

Todo cuanto se ha ido desentrañando de la vida de Unamuno en estos años, tiene un trasfondo familiar inesquivable. Todo en torno a aquella vida que se le convirtió en una cruz: Raimundo Jenaro, nacido en 1896, y muerto en 1902[52].

---

[51] *EUM*, pág. 58, y *UI*, pág. 387. Las relaciones de los futuros esposos comenzaron cuando Unamuno tenía quince o dieciséis años *(UI,* pág. 267). El 6 de febrero de 1904, don Miguel escribió a Luis de Zulueta; la carta tiene un arranque de confesión: «Si sigue ahí Marquina, salúdele [...]. Ignoraba que estuviese casado. Me alegro de que lo esté, pues así su obra literaria será más sana. No resisto a los solteros»... (Miguel de Unamuno-Luis de Zulueta, *Cartas, 1903-1933*. Recopilación, prólogo y notas de Carmen de Zulueta, nota bibliográfica de A. Jiménez-Landi, Madrid, 1972, pág. 56).

[52] Véanse las páginas 82-84 de E. Salcedo, *Vida de don Miguel*.

El niño, tras un ataque de meningitis padeció de hidrocefalia. Don Miguel tuvo hacia aquella carne suya las ternuras más delicadas: hizo que los otros hermanos lo quisieran, le dedicó poemas, le sacó dibujos del rostro y de la mano paralítica. Y en torno al niño enfermo se consumó[53] la crisis religiosa del hombre que quiso el milagro para aquella criatura desgraciada. Péguy sintió de la misma manera: el dolor idéntico, como en cada padre que sufre, pero Péguy buscaba cobijo en la Virgen María para no caer en la desesperación:

> Il pense à ses enfants qu'il a mis particulièrement
>   sous la protection de la Sainte Vierge.
> Un jour qu'ils étaient malades.
> Et qu'il avait eu grand peur.
> Pour eux et pour lui.
> Parce qu'ils étaient malades[54].

Unamuno —cierto es— no supo vencer la dura prueba. Pero en el *Diario* —con Raimundín enfermo— había escrito estas palabras:

> He llegado hasta el ateísmo intelectual, hasta imaginar un mundo sin Dios, pero ahora observo que siempre conservé una oculta fe en la Virgen María. En momentos de apuros se me escapaba maquinalmente del pecho esta exclamación: Madre de Misericordia, favoréceme. Llegué a imaginar un poemita de un hijo pródigo que abandona la religión materna. Al dejar este hogar del espíritu sale hasta el umbral la Virgen y allí le despide llorosa, dándole instrucciones para el camino [...]. María es de los misterios el más dulce. La mujer es la base de la tradición en las sociedades, es la calma en la agitación, es el reposo en las luchas, La Virgen es la sencillez, la madre de la ternura[55].

Unamuno iba depositando en la esposa el amor a la Madre de Misericordia; en los hijos, esa infancia que le subía a

---

[53] *Vid.* antes, pág. 11.
[54] *Le Porche du Mystère de la Deuxième Vertu.* [cf. 1]
[55] Página 42. Añádanse otros testimonios en las págs. 97, 101, 318, 399-400.

flor del alma «cantándome sus recuerdos». Porque sus hijos le hacían vivir de nuevo. En una carta muy íntima —y a Maragall, como siempre— le dirá: «mis dos hijos mayores estudian junto a mí o lee el mayor a Dickens, que es su encanto»[56]. Cambiando un poco, era el poema de *Poesías* («Junto al fuego leía / *Quintin Durward* mi hijo»). En la quietud hogareña, la lectura de los dos niños le hace pensar en el hilo eterno y discontinuo de la vida, como el respiro de las criaturas es anticipo de perennidad, como los dibujos infantiles le traen a las mientes la Creación, como... Todo este mundo íntimo, entrañable, recoleto, podía romperse con una premonición, que acabaría cumpliéndose («Es de noche, en mi estudio»), y entonces el poeta volvería a *desnacerse* para salvarse en la infancia renacida.

IDEAS SOBRE POESÍA

Los poemas iniciales del libro representan la postura teórica de don Miguel ante el proceso creador. Sus versos resultaron extraños[57] y siguen resultando[58]. Bien poco después de publicar *Poesías* y —refiriéndose a ellas— Unamuno escribió:

> Y el que vea raciocinio y lógica, y método y exégesis, más que vida en esos mis versos, porque no hay en ellos faunos, dríadas, silvanos, nenúfares, «absintios» (o sea ajenjos), ojos

---

[56] 19 de diciembre de 1907, pág. 72.

[57] Se lo dijo a Jiménez Ilundáin (carta del 29 de julio de 1907). *Apud MUG*, pág. 115. Para todo este apartado es imprescindible Francisco Ynduráin, «Unamuno en su poética y como poeta», *apud Clásicos modernos* (Madrid, 1969, págs. 59-125). Resulta curioso ver cómo su teatro también pareció «escrito cuando menos fuera de tiempo» (*UI*, pág. 288).

[58] *Vid.* J. Villa Pastur, «Juan Ramón Jiménez ante la poesía de Miguel de Unamuno y Antonio Machado» *(Archivum, V,* 1955, pág. 138); Luis Cernuda, *Estudios sobre poesía española contemporánea,* Madrid, 1957, páginas 89-90; Ramón J. Sender, «Unamuno, sombra fingida», *apud Examen de ingenios. Los noventayochos,* Nueva York, 1961, págs. 13, 15, 17 *passim.*

glaucos y otras garambainas más o menos modernistas, allá se quede con lo suyo[59].

Sin embargo, los mejores espíritus supieron apreciarla[60]. Rubén Darío —y no quiero hablar de discusiones harto conocidas— escribió las líneas que sirvieron de pórtico a *Teresa*:

> [Unamuno es] un poeta, un fuerte poeta. Su misma técnica es de mi agrado. Para expresarse así hay que saber mucha armonía y mucho contrapunto. Lo que parece claudicación es uno de sabio procedimiento [...]. Eso es lo que más gusto en él, sus efusiones, sus escapadas jaculatorias hacia lo sagrado de la eternidad[61].

Rubén no marró, pero acaso nadie anduvo tan en lo cierto como Maragall. En una carta del 26 de noviembre de 1906, comenta *En el desierto* y, una a una, las flechas dan en la diana: «su idea de Dios es distinta cada vez, su sentimiento de Dios parece ser siempre el mismo, y esto me apena muchísimo,

---

[59] Cit. en *MUP*, pág. 111. Cuando muere Carducci, Unamuno le dedica un emocionado artículo; en él podemos rastrear algo de lo que fue levadura de su quehacer poético. A vueltas de otras cosas, se desatará iracundo contra los «insípidos y pálidos recuerdos versallescos», contra «unos faunos, sátiros y centauros anémicos traducidos del francés bulevardero» *(O. C.,* IV, página 894). En el breve fragmento transcrito, Unamuno juega —como mil veces en su obra— a la evolución lingüística, tema que dio base a la compilación de Pelayo H. Fernández, *Ideario etimológico de Miguel de Unamuno,* Valerio-Chapel Hill, 1982. *Vid.,* también, Carlos Blanco Aguinaga, *Unamuno, teórico del lenguaje,* México, 1954, págs. 102-128.

[60] Luis Cernuda ha visto muy bien por qué esta poesía resultó extraña: cantaba tres orbes (familia, patria y religión) abandonados por los poetas españoles de su época *(Estudios sobre poesía española contemporánea,* Madrid, 1957, pág. 92). Por su parte, Unamuno había escrito: «La poesía castellana no me resulta; la encuentro seca y fría; en su contenido de un prosaísmo *estilizado* [...] y en su forma acompasada y cadenciosa más que rítmica y melódica» *(EUM,* pág. 22). Cfr. nota 56.

[61] Se puede leer en Unamuno, *O. C.,* XIV, pág. 263. Las impresiones de *Poesías* en Maragall constan en una carta de abril de 1907 en la que le dijo: «¿Qué va a decir, Dios mío, qué *podrá* decir la crítica madrileña sobre este libro austero?» *(EUM,* pág. 66). Añádase la ilusión que el poeta puso en sus versos *(UI,* pág. 417) y el escándalo que produjeron *(ibíd.,* pág. 420). Cfr., también, *UI,* pág. 441.

porque es un sentimiento depresivo, y para quien no sea depresivo, será tal vez de una exaltación feroz», «su poesía no llegará al mundo a destiempo, ni nunca es destiempo para una poesía fuerte como ésa» y le habla del estado de ánimo en que brota, y lo sabemos bien[62].

Lo que Unamuno buscaba con sus recursos poéticos era algo a lo que por otros caminos llegó también Darío: innovar el instrumento lírico, liberar el ritmo[63], mohosos y oxidados en la poesía española de entresiglos. Pero Unamuno anduvo a contrapelo; en diciembre de 1900 escribía a Juan Ardazun una carta fundamental, y suyas son estas palabras:

> Nuestra poesía española es, en cuanto a su fondo, pseudo-poesía, huera descripción o elocuencia rimada[64], y en cuanto a la forma, música de bosquimanos, tamborilesca, machacona, en que el compás mata al ritmo. [...] Yo insisto que nuestro pueblo está capacitado para gustar *musings* a lo Wordsworth o a lo Coleridge[65].

---

[62] Alboreando 1907, escribía a su amigo Francisco Antón:

> Estoy pasando una temporada tormentosa [...]. Busco consuelo haciendo versos, pero éstos me salen cada vez más desconsoladores (*apud MUP*, pág. 108).

[63] Adapto palabras del «Prefacio» a los *Cantos de vida y esperanza (O. C.*, ed. Méndez Plancarte. Madrid, 1952, págs. 685-686). Para la posición de Unamuno ante los modernistas, *vid.* Guillermo Díaz-Plaja, *Modernismo frente a noventa y ocho*, Madrid, 1951, págs. 242-245. Maragall no andaba lejos de lo que Unamuno dice en el texto, cfr. *EUM*, pág. 51.

[64] Cfr.: «con palabras muertas, reducimos la lírica a algo discursivo y oratorio, a elocuencia rimada» («El canto adámico», *apud El espejo de la muerte, O. C.*, II, pág. 766). Para el carácter de la poesía de Unamuno son importantes las páginas que le dedica José María Valverde en «Acta Salmanticensia», X, 2, 1956, págs. 229-239.

[65] *Apud MUG*, pág. 45. En *Poesías* hay un soneto («A la rima») sin entusiasmo por el artificio llamado poético y un poema, «A la corte de los poetas», contra el «casticismo» de los versificadores tradicionales. Cfr. *EUM*, pág. 22. Peter G. Earle ha hablado de los poetas a que hace referencia don Miguel en *Unamuno and English Literature*, Nueva York, 1960.

Unamuno quiere innovar con los poetas ingleses de una mano, pero con Carducci[66] y Leopardi de otra. Sus traducciones de *Poesías* hablan a las claras. Pero hablan también algunos textos que podemos espigar. En *Amor y Pedagogía* (1902) escribió:

> Sí, ya sé que nos ponemos a escribir versos libres aquellos a quienes no nos sale libremente la rima, los incapaces de hacer frente de asociación de ideas de la *rima generatrice*[67].

Por eso la gran inclinación de Unamuno hacia Carducci. Algo de afinidades electivas hubo en el proceder civil de estos dos hombres y en su quehacer literario. Veía don Miguel cómo el gran poeta italiano podía prescindir de la rima «porque la asociación poética de las imágenes y pensamientos es interna y robusta»; al considerar esta manera de hacer y compararla con las técnicas al uso en España, no encontraba en la rima otra cosa que la laña que conseguía la unión de los fragmentos sueltos y veía la grandeza del Carducci poeta en su capacidad de ser traducido, frente a los poetas musicales cuya razón está sólo en el «halago del sonsonete», en el «desfile de imágenes imprecisas», en el «aluvión de lugares comu-

---

[66] García Blanco dio a conocer una carta de Unamuno a Antón (1907). Me interesan unas frases: «Casi las mismas cosas que se me están diciendo se las dijeron a Carducci cuando empezaba y él continuó sin hacer caso, como continuaré yo» *(MUG,* pág. 119). Acaso pensara en el filólogo italiano del que habla en *Sobre la erudición y la crítica (O. C.,* III, pág. 907). No creo que en este punto sean aceptables las ideas que expone José F. Cirre en *Forma y espíritu de una lírica española,* pág. 17. Cabría aquí un recuerdo a Enrique Díez-Canedo: «Unamuno en sus versos es tradicional sin limitación. Lejos de él todo recuerdo. A quien tan sólo se parece es a Miguel de Unamuno. Ved una poesía suya cualquiera. No os recordará otra poesía, como no sea suya también; os recordará vivamente su prosa [...] y, sin embargo, su versificación es la que se encuentra en los libros españoles del siglo XVI [...]. Dentro de estos tipos de poesía cabe lo que puede señalarse como influencia formal de poetas italianos, visible, sobre todo, en las *Poesías* de 1907: la libre silva de Leopardi o la estrofa "bárbara" de Carducci» («Miguel de Unamuno y la poesía», artículo de 1930, recogido en los *Estudios de poesía española contemporánea,* México, 1965, pág. 69).

[67] *Apud O. C.,* II, pág. 578. Este desinterés por la rima será constante en don Miguel, recuérdese lo que a este propósito escribe Josse de Kock en su *Introducción al «Cancionero» de Miguel de Unamuno,* Madrid, 1968, pág. 104.

nes». De ahí la convicción unamunesca de separar los dos elementos tradicionales de la retórica, el fondo y la forma, pero con intuiciones bien claras: hay una «materia poética», que se manifiesta en una «forma poética interna», y tal fue su aspiración: que sus poemas hablaran de los grandes temas que preocupan al hombre, pero sin perderse en halagos sensoriales, haciéndoles tener una clara correspondencia con la forma en que se expresan. La «forma» no es en él independiente del «fondo», sino que una y otro constituyen la unidad indivisible a la que llamamos poema, tal y como se entiende —por ejemplo— en la teoría de Hjelmslev: forma y sustancia en el plano del contenido. Incidentalmente escribió Unamuno y, sin embargo, su hallazgo era de enorme transcendencia; bástennos ahora sus palabras:

> Poned a Zorrilla en inglés, alemán o francés [...] y decidme cuánta poesía queda [...]. En cambio, Campoamor [...] es traductible. Y Carducci lo es enteramente, como es traductible el Dante, como lo es Homero, como lo es Shakespeare, como lo es Goethe. Lo que cantan es de suyo poético, sus cantos están formados con materia poética. Y es poética la forma interna de ellos[68].

Eran necesarias estas consideraciones no sólo por cuanto resultan aclaratorias por sí mismas, sino porque se formulan en el mismo año en que *Poesías* alumbra una colección de composiciones programáticas. Estos principios fueron válidos a lo largo de toda la vida del creador; después, muchos años después de este 1907, diría:

> Los supuestos revolucionarios estéticos y literarios no están mal, en lo programático, mientras hacen programas. Pero al ir a realizarlos no cumplen sus propios propósitos y promesas [...]. Sabido es que la retórica sirve para vestir y revestir, acaso para disfrazar, el pensamiento y el sentimiento, cuando los hay, y que la poética sirve para desnudarlo. Un poeta es el que desnuda con el lenguaje rítmico su alma. El

---

[68] *O. C.*, IV, pág. 896. Añádase lo que dice en los *Recuerdos de niñez y mocedad, O. C.*, I, pág. 302.

ritmo, además, le sirve, como el bieldo de aventar en la era, para apurar su pensamiento, separando a la brisa del cielo soleado el grano de la paja[69].

Unamuno se mantuvo fiel a su postura. Más de una vez he tenido que referirme al significado de estos poemas iniciales de *Poesías,* me remito a esos trabajos para evitar repeticiones. Ahora quiero considerar otros asuntos.

Wladimir Weidlé en su *Ensayo sobre el destino actual de las letras y las artes* ha removido un abundante caudal de ideas que si no son siempre aceptables, al menos tienen el poder de la sugestión. En algún sitio de su libro habla, precisamente de Unamuno y esto nos da pie para adentrarnos en otras páginas. Prescindiendo de algo que no es válido en este momento, sí queremos señalar con él como «lo imaginario no está separado de lo real por una capa aisladora, y nadie, dentro de la obra poética puede vanagloriarse de poder establecer la frontera exacta que se interpone entre el conocimiento y la creación»[70]. En efecto, cuanto vamos sabiendo de Unamuno nos manifiesta una coherente unidad en el complejo mundo de su personalidad y de su creación. Al comparar su *Diario* con *Poesías* vemos cómo el diario presenta la versión íntima de una problemática por cuanto es el hombre Unamuno quien la padece, mientras que las *Poesías* vienen a ser la universalización de las cuestiones. El conocimiento y la creación tienen un límite —ese límite buscado por Weidlé— en su formulación, o dicho con otras palabras, la creación es el conocimiento poetizado. Al decir poetizado no pretendo limitarme a una pura cuestión estética, sino a la posibilidad de codificar un mensaje para que cobre transcendencia e interese a un universo de lectores. De atenernos a la realidad inmediata —también en el uso del instrumento lingüístico— no iríamos mucho más allá de lo que permiten algunas frases del *Diario* que pueden tener un talante como éste:

---

[69] «Poética» en la *Antología de la poesía española* (1915-1931), de Gerardo Diego, Madrid, 1931, págs. 18-19.

[70] Traducción de Carlos María Reyles, Buenos Aires (1951), 2.ª ed., pág. 25.

Son incontables las formas que reviste la soberbia. Alguien me ha escrito diciéndome que él también pasó por donde yo estoy pasando y al leerlo me he dicho: ¿tú por donde yo? ¡pobrecillo! ¿Por qué he de creerme superior a los demás hasta en mi capacidad para la tribulación y la lucha? Estoy muy enfermo y enfermo de *yoísmo* (pág. 274)[71].

Si todo el mundo unamunesco quedara reducido a algo semejante a estas líneas, creo que nos importaría muy poco. No andaríamos muy lejos de escritores como Marcel Arland que pueden escribir: «Antepongo a toda literatura un objeto que me interesa en primer término: yo mismo.» Fórmula de desesperación gideana que ha tenido numerosos seguidores, pero que en Unamuno transciende de su propia contingencia y se convierte en necesidad de efusión:

> Busca de tu alma la raíz divina.
> Lo que a tu hermano te une y te asemeja
> y del puro querer que te aconseja
> aprende fiel la santa disciplina[72].

Resulta entonces que Unamuno —tantas veces contemplado como espectáculo— interesa no sólo como protagonista de una serie de acontecimientos, sino —lo que es mucho más importante— como incitador a la contemplación de la conciencia de cada uno de nosotros y de la conciencia colectiva[73] y ello a través del lenguaje poético que vamos viendo nacer desde su primer libro de versos. Si el *Diario* es —exclusivamente— un «documento humano», las *Poesías* son una especie de creación metafórica que cela pudorosamente cualquier tipo de confidencia más o menos freudiana; no «la mecanización de lo inconsciente», sino la cuidadosa elaboración de las experiencias íntimas; esto es, crea-

---

[71] Véanse otros muchos sitios del *Diario;* por ejemplo, las págs. 277, 297, 316. Para el tema: Carlos Blanco Aguinaga, «Unamuno's "Yoísmo" and its relation to traditional Spanish "Individualismo"» *(apud Unamuno Centennial Studies,* págs. 18-52).
[72] «Piedad», soneto de *Poesías.*
[73] En este sentido puede leerse «La cigarra», poema de 1899 pero no publicado hasta que García Blanco lo incluyó en *MUP,* págs. 367-370.

ción[74]. Pero creación a través de la palabra: en páginas anteriores he señalado el valor testimonial que en determinados contextos tiene la palabra *dolor,* como señalé el de *amor* en otros casos. En esas pocas referencias está el sentido poético que una palabra trivial puede haber cobrado: se convierte en un signo de economía frente a la enorme complejidad de muchas situaciones y multiplica su poder expresivo[75]. Desde un punto de vista puramente lógico, las páginas del *Diario* no serían otra cosa que *denotativas,* esto es, con un contenido lógico de información, pero tan pronto como cada una de esas palabras forma parte de unos sistemas de significantes más allá de la notación adquieren un valor *connotativo*[76]. Es lo que entendemos tan pronto como abrimos *Poesías:* la intensidad que el poema representa frente al enunciado mostrenco:

> ¡Cuántos murieron sin haber nacido
> dejando, como embrión, un solo verso!

y, frente al uso gregario de la palabra, en el *Credo poético* dará testimonio de esa intencionalidad con que quiere dotar a los signos usuales

> el lenguaje es ante todo pensamiento,
> y es pensada su belleza.

Estos elementos intencionales en poesía cobran un valor intensivo ya que con ella se intenta salvar cuanto de perecedero hay en el mundo que nos rodea, pero tiene que hacerlo condicionada por ciertos principios (acento, verso, rima, es-

---

[74] El desarrollo de estas cuestiones tal vez permitiera llegar en la poesía a conclusiones semejantes a las que Ricardo Gullón alcanzó estudiando las novelas —y Teresa— de don Miguel *(Autobiografías de Unamuno,* Madrid, 1964).

[75] *Vid.,* por ejemplo, Pierre Guiraud, «Le champ stylistique de Goufre de Baudelaire» *(Orbis Litterarum,* 1959, pág. 83).

[76] Michel Le Guern, *Sémantique de la métaphore et de la metonymie,* París, 1973, pág. 21. Véase mi estudio «La "noche oscura" de Dámaso Alonso» (Cuadernos Hispanoamericanos), incluido ahora en mi libro *Símbolos y mitos,* Madrid, 1990.

trofa), como Unamuno desdeña las artificiosidades de la rima, tiene que cargar toda la intencionalidad en el ritmo y en la capacidad de expresión[77]. De ahí la doctrina explícita en *Poesías:*

> Dinos en pocas palabras,
> y sin dejar el sendero,
> lo más que decir se pueda,
> denso, denso.

Pero, al mismo tiempo, el metro —en su sistema poético— es un hecho de lengua que se manifiesta en un ritmo, hecho de habla, siguiendo la idea hegeliana de la interdependencia de metro y ritmo y su unidad dialéctica; de ahí el que Unamuno utilice recursos como el paralelismo y el encabalgamiento: el primero plantea —en el orden de las ideas— oposiciones y correlaciones, el segundo, la manera de dar intensidad a aquello que se quiere realzar. Es lo que se intenta establecer en el *Credo poético:* la imposibilidad de separar *forma* e *idea*[78]. Si no se funden, los integrantes quedan sueltos y el poema no se logra:

> No te cuides en exceso del ropaje,
> de escultor y no de sastre es tu tarea
> no te olvides que nunca más hermosa
> que desnuda está la idea[79].

Unamuno parece estar pensando fuera de nuestra lírica. Walt Whitman acababa su *A Song for Occupations* con unos versos en los que la obra se anteponía al hacedor o, a lo menos, él quería acercarse así a los hombres y mujeres que trabajan:

---

[77] Todo esto se desarrolla en *Unamuno en sí mismo,* ya citado, págs. 244-248 y 261-265. Pienso que Maragall tuvo también la preocupación por el ritmo, cfr. Dámaso Alonso, «Lo infinito y el realísimo (y su molde) en la poesía de Maragall», *apud Cuatro poetas españoles,* Madrid, 1962, pág. 109.

[78] Cfr. «Amado Teótimo», *apud Estudios y ensayos,* pág. 192. Véase, también, Rafael Ferreres, *Los límites del modernismo,* Madrid, 1964, págs. 84-92.

[79] Cfr. «Símbolo y mito en la oda "Salamanca"» *(CCMU,* CCXXIII, páginas 59-60 y 68-70).

When the psalm sing instead of the singer,
When the script preaches instead of the preacher,
When the pulpit descends and goes instead of the carver
that carved the supporting desk
When I can touch the body of books by night or by day,
and when they touch my body back again,
[...]

I intend to reach then my hand, and make as much of
then as I do of men and women like you[80].

Las escuelas pasaron, vinieron otras modas y se impusie-
ron otros modos. Pero Unamuno se mantuvo fiel a su estética, que no era otra cosa que su verdad más íntima, su metafísica y su ética, su fe y su caridad. Cuando publica (1927) el
Romancero del destierro, unas palabras del *Prólogo* determinan
su postura («[la poesía pura] cuya pureza no he llegado a
comprender, como ni tampoco los que de ella hablan»)[81] y
sirven de antesala a su poema polémico, el XXXIII:

¿Prosa? ¿Y qué sabéis vosotros,
jugadores de la forma
y gongorinos de pega,
lo que es la prosa?
¿Poesía pura? El agua
destilada, no por obra
de nube del cielo, pero
de redoma.
¿Deshumanad!, ¡buen provecho!,
yo me quedo con la boda
de lo humano y lo divino,
que es la gloria[82].

---

[80] *Complete Poetry,* ed. cit., pág. 160 (final del 6).
[81] *Vid.* sobre estas relaciones Julio García Morejón, *Unamuno y el*
«Cancionero», São Paulo, 1966, págs. 151-158.
[82] *Apud O. C.,* XIV, pág. 654. En el t. XV de las *O. C.* (págs. 877-880) hay
una carta muy interesante dirigida a Jorge Guillén. El autor de *Cántico* había
visitado a Unamuno en Hendaya (verano de 1928); al acabar las navidades,
don Miguel le escribió. Le hablaba de sus lecturas de *Cántico,* de João de
Deus, del *Cancionero* y de don Mariano Castillo Ocsiero, «único poeta
popular hispánico». Incluso había alguna reticencia hacia la poesía pura,

Cada vez que nos enfrentamos con el Unamuno creador, llegamos al mismo resultado: su animadversión contra la literatura de los hombres de letras; su identificación con el hombre real de carne y hueso. Y es que, en definitiva, don Miguel estaba a años luz de cualquier clase de esteticismo, en sus anhelos de inmortalidad no podía conformarse con la «literatura», sino que, sabía, la vida eterna no se alcanza —ni aquí, ni fuera de aquí— con el compromiso de una escuela, sino en la universalidad del todos y para todos, del Hombre, al que él quería servir de vocero. Es posible que al asentar estos principios Unamuno exagerara; fuera tan intolerante con los demás como temió que lo habían sido con él, espejo fiel —ni bueno ni malo— de esa afirmación constante de la propia personalidad que Figueiredo considera como característica del hombre español[83].

FINAL

Con *Poesías,* Unamuno se vincula al panorama de la lírica española, con voz propia, diferente, a contrapelo. Tarde se incorporó don Miguel a la poesía, pero no tarde —por mucho que se diga— la escribió, ni llegó tarde. Era el logro de una vocación sofocada por la cátedra salmantina: «Hacerme al fin, el que soñé, poeta»[84].

---

dentro del tono cordialísimo de la carta. Al parecer —y según apostilla García Blanco— la décima guilleniana pasó al acervo métrico de Unamuno; por otra parte Cernuda, *Estudios* ya citados, habla de la reconciliación de don Miguel con los jóvenes (pág. 99).

[83] Cfr. *Pirene. Introducción a la historia comparada de las literaturas portuguesa y española,* Col. Austral, núm. 1448, pág. 40.

[84] *De Fuerteventura a París, O. C.,* XIV, pág. 536, soneto LVI. Es curioso recordar cómo a su amado Carducci le había ocurrido algo parecido:

Cuando publicó aquel su primer libro de rimas hubo crítico que le acusó de «falta absoluta de toda posible facultad Poética». Y de hecho el libro no gustó. Carducci tuvo que fraguarse su gloria golpe a golpe, contra la indiferencia primero, contra la hostilidad después. Su espíritu rebelde y desdeñoso no se plegaba a acomodamientos fáciles, y su poesía alta, serena y fuerte, no era de las que entran

Pero estos poemas muchas veces no son otra cosa que el ropaje para cubrir sus íntimas tragedias. Don Miguel diría a Gerardo Diego que «poeta es el que desnuda con el lenguaje rítmico su alma»[85]. Pero, también, quien la escribe con metáforas transcendidas. *Poesías* es una colección de experiencias personales, y no vale decir que toda labor de creación es el resultado de una experiencia; son las experiencias religiosas, familiares, nacionales que el poeta ha vivido. Al contarlas puede utilizar un relato directo en el que vayamos identificando los hechos (poemas al hijo enfermo, a las ciudades que conoce, por ejemplo), pero puede ocurrir —también— que bajo la cobertura poética o el sentido universalmente humano de unos sentimientos no haya otra cosa que una concretísima situación personal que trata de ocultarse. No pretendo decir que esto no sea lícito. Lo es. Y acaso más honesto que sacar a relucir lo que debe guardarse con pudor. Pretendo únicamente entender el proceso creador de Unamuno en su doble vertiente. Y es esta última la que necesita de mayores atenciones por cuanto está cifrada. Si no poseyéramos otros elementos que los que el poeta facilita, no podríamos ir mucho más allá de lo que nuestra intuición —grande o poca— nos permitiera descubrir, pero el *Diario íntimo* viene a darnos la clave para que el problema se nos aclare. No hace mucho escribí:

> Al enfrentarnos con la dualidad *Diario íntimo / Poesías* tenemos dos tipos de expresión de una sola experiencia o, si se quiere, un significado profundo se nos manifiesta con dualidad de significantes. Porque una cosa es la experiencia inme-

---

fácilmente en un público que rehúye manjares jugosos *(O. C.,* IV, pág. 891).

El *ser poeta* era la entrañable y no renunciada vocación de don Miguel. En una carta que en 1902 dirige a Jiménez Ilundáin:

> ¿Qué culpa tengo de que alguien se haya podido imaginar [...] que soy un sabio encargado de enseñar conocimientos útiles a mis compatriotas y no un... (diré lo que siento) y no un apóstol, o un poeta, o un sentido cuya misión es sacudir las almas [...]? *(UI,* pág. 379).

[85] Cfr. Carlos Clavería, «Notas italianas en la "Estética" de Unamuno», *apud Temas de Unamuno,* Madrid, 1953, pág. 127.

diata *(Diario)* y otra la transmisión —hacia fuera— de esa experiencia *(Poesías);* resulta entonces que los poemas tienen una objetividad mayor que las anotaciones cotidianas, porque tratan de transcender lo puramente íntimo hacia una comunicación mucho más amplia[86].

Carlos París se ha planteado este mismo problema, pero sus juicios son distintos de los míos, y a ellos voy a referirme:

> *Poéticamente,* la palabra unamuniana refleja y expresa los «sentires» del alma vibrante de don Miguel, para darles permanencia y objetividad. Convertidos en «canto» que pueda él contemplar desde lejos, flotando en su vida autónoma. Se ha «extrañado» lo «entrañable». Y este extrañamiento implica ya un sacrificio del autor, al convertir la vivencia en criatura. Criatura que, después, podrá incluso ser gozada por otros, a medida que el autor se aleja en el tiempo de la situación en que le alumbró[87].

No creo que la expresión de los «sentires» varíe de la poesía a la prosa en cuanto expresión. Por lo que respecta al valor de la palabra, Unamuno era muy croceano[88] y, por tanto, para él se identificaban *lengua* y *arte.* Desde el momento que la personalidad del escritor se proyecta está haciendo arte, con independencia de los elementos formales de que se valga. Naturalmente, si no hay expresión, del tipo que sea, no hay escritor. Carlos París ha aducido un poema del libro que en esta ocasión nos ocupa *(Cuando yo sea viejo)* que —a mi modo de ver— no es un extrañamiento propio, sino un entrañamiento ajeno. Sin paradoja: Unamuno comunica una experiencia personal, pero sabe muy bien que el hombre no es inmutable; teme —por tanto— serse traidor y lo que quiere lograr es, precisamente, la fidelidad unamuniana si es que Unamuno deserta; o como diría él: la quijotización de San-

---

[86] *Unamuno en sí mismo,* ya citado, pág. 245.

[87] *Unamuno. Estructura de su mundo intelectual,* Barcelona, 1968, págs. 14-15.

[88] *Vid.* la nota que puse en las páginas 202-203 de la obra de Iorgu Iordan, *Lingüística Románica,* Madrid, 1967. Añádase otra referencia bibliográfica: Manuel García Blanco, «Benedetto Croce y Unamuno. (Historia de una amistad)», *Annali dell'Instituto Universitario Orientale,* I, 1959, págs. 1-29.

cho en el día que Alonso Quijano haya matado a don Quijote. Los poemas, sí, objetivan, pero no para ser contemplados desde lejos, sino para proyectar un subjetivismo, para hacer tantos Unamunos cuantos prosélitos se adhieran a ellos no infinitas objetivaciones, sino un universo de espíritus concordes[89]. Estamos comparando en estas páginas esas dos realidades diferentes que son el *Diario* y las *Poesías*. Uno y otras representan la conversión en «criatura» de la «vivencia» unamunesca, pero lo único que varía en ellas es la transmisión de un determinado mensaje, no su contenido. Porque tan «criatura» es la minuta en prosa como su versión poetizada, pues al extrañar —en forma de *Diario* y en relato prosístico— lo que es entrañado, el propio escritor se ha realizado como tal y nosotros podemos contemplarlo. O dicho con sus propias palabras: «una constante aspiración a ser otros, sin dejar de ser lo que somos»[90].

Esto me ha hecho hablar de *Poesías* como creación metafórica de lo que en el *Diario* se cuenta. Ahora quisiera matizar algo más: las confesiones, tal y como las tenemos, no son una obra de arte; los poemas, sí. Pero crear —no sólo contar experiencias personales— exige una capacidad de intuición para seleccionar los medios que van a utilizarse; la obra sólo alcanzará granazón —sólo será obra de arte— si se logra la armonía de la intuición y los medios que la expresen[91]. O con otras palabras: si el poeta tiene fe en sí mismo (certeza en lo que vislumbra) y fe en la palabra de que se vale[92]. La poesía se convierte en una nueva manera de la Fe, problema

---

[89] Esta efusión Unamuno la plantea desde la propia intimidad de cada cual; *vid. Soledad* (1905), *O. C.,* III, págs. 881-901.

[90] Cfr. Carlos París, *op. cit.* pág. 162. Creo que conformes con mi explicación están las propias palabras de don Miguel: «Hago versos. Es casi lo único que hago desde dentro.» Creo que a estas mismas conclusiones llega Milagro Laín, *La palabra en Unamuno,* Caracas, 1964, págs. 69-83.

[91] Su amigo Maragall escribía: «la palabra es Poética cuando su ritmo corresponde al ritmo profundo de las cosas». Estas y otras ideas acercan, en un plano puramente teórico, a los dos grandes creadores; cfr. M. Manent, *Cómo nace el poema y otros ensayos y notas,* Madrid, 1962, págs. 20-21.

[92] Más o menos, a esta conclusión llega De Kock en su análisis —ya citado— del *Cancionero,* pág. 189.

que en Unamuno había nacido como proyección de algo que ya no es ni literatura ni realidad, sino creencia[93]. De ahí que la obra toda de don Miguel se nos muestre como un esfuerzo gigantesco por fundir en un principio de unidad cada una de sus realizaciones como hombre y como escritor. Inserto todo en una agregación dominada por la fe[94]. Al contemplar —como venimos haciendo— las líneas testimoniales del *Diario* con las versiones rítmicas de *Poesías*, vemos que Unamuno en su creación lírica ha conseguido identificar religión, poesía y vida[95], lo que tal vez no hubiera logrado por otras veredas. Los versos le dan una personalidad mucho más independiente que la prosa: los elementos formales son esa máscara que lo aíslan del presunto lector y, amparado por ella, puede comportarse con una libertad no condicionada[96]. Es decir, sobre la cuartilla en blanco, puede verterse más sinceramente con ropaje poético, pues sin él la identificación del hombre es mucho más fácil. Frente a *Poesías*, el temor del *Diario*:

> Se han percatado de mi cambio, hasta algunos periódicos han hablado de él. Y ¿no es ésta una nueva esclavitud? Si persisto y esto es de gracia divina y vuelvo a la fe de mi niñez,

---

[93] Véase el viejo planteamiento (1899) que se hace en *Nicodemo el fariseo* (*O. C.*, III, págs. 121-153).

[94] Fe que en un momento es la virtud cristiana, pero que desacralizada quedará reducida a la confianza de lograr algo. En *¡Id con Dios!* dirá Unamuno a sus versos

> Vosotros apuráis mis obras todas;
> sois mis actos de fe, mis valederos.

Sé bien la anchura del campo semántico de la palabra *fe*, pero acepto, por cuanto tiene de síntoma, el empleo de un significante único.

[95] Léase el trabajo de Eugenio de Bustos, «Miguel de Unamuno, "poeta de dentro a fuera"» (*CCMU*, XXIII, 1973, págs. 71-137). También ahora ha sido Maragall quien ha calado más hondo al considerar a Unamuno como «un poeta... hacia adentro» (*EUM*, pág. 63) o «poeta de dentro a fuera» (*ibíd.*, pág. 64).

[96] En otro orden de cosas, José Luis Aranguren plantea problemas semejantes: *Personalidad y religiosidad en Unamuno* («La Torre», IX, 1961, páginas 239-249).

51

¿no será algo ficticio? Si vuelvo a lo que he sido estos años y dejo pasar esto como nube de verano y pasajera perturbación, ni unos ni otros me recibirán como antes, para unos y otros seré un loco y un hipócrita. He mostrado a toda luz mis flaquezas, no he sabido ser cauto (pág. 273).

Esta fusión de religión, poesía y vida se repetirá mil veces en Unamuno y vendrá a ser como la cuerda que impide enmarañarse a la madeja. Sin querer recuerdo otros versos de su amado Whitman. El poeta ha hablado y sus palabras —sí, también su conducta, hasta en el gesto cotidiano— nos lega un retrato para los cronistas futuros: siente orgullo, más que de sus cantos, del amor que ,en ellos se derrama hacia los otros cuando camina lentamente o piensa en ellos tendido, insomne, sobre el lecho. Mensaje de amor que en Unamuno va desde los poemas religiosos hasta el sentimiento del paisaje, que se sustenta en una poesía desnuda de retórica para que cada lector identifique en ella la emoción de quien sufre y no la artesanía de quien la labra:

> Who was not proud of his songs, but of the measureless ocean of love within him, and freely pour'd it forth,
> Who often walk'd lonesome walks thinking of his dear friends, his lovers,
> Who pensive away from one he lov'd often lay sleepless and dissatisfied at night[97].

De muy otra manera y sírvanos para acabar —podríamos entender el arte de Unamuno en estas sus *Poesías,* lo que las hace alcanzar las más altas cimas de su validez y de su trascendencia:

> No es posible comprender la tragedia del arte, la de la poesía, la del poeta del siglo XIX y la de los tiempos actuales, si se la considera exclusivamente en el plano estético y social; sólo puede ser verdaderamente comprendida en el plano religioso. El análisis estético mostrará el resecamiento racional, la lenta desagregación del arte, y el análisis social, la

---

[97] «Recorders Age Hence», *apud Complete Poetry,* ed. cit., pág. 90.

soledad más grande del artista entre los hombres; pero sólo la interpretación religiosa permitirá remontarse hasta el manantial mismo de este abandono y de esta decadencia. Ser artista, hoy, es plantear una profesión de fe en un mundo incrédulo[98].

[98] W. Weidlé, *Ensayo sobre el destino actual de las letras,* pág. 120.

Esta edición

Reproduzco el texto que imprimió José Rojas (Bilbao, 1907). Procuro ser absolutamente fiel y sólo me permito adecuar a los criterios de hoy los signos de exclamación, interrogación y acentuales, pero respeto algunos caprichos ortográficos.

Las *Poesías* no se habían vuelto a reeditar completas hasta que García Blanco las incluyó en el tomo XIII de las *O. C.* He cotejado ésta con la edición príncipes y anoto los numerosos yerros para precaver a futuros lectores. La reimpresión de hoy que yo he hecho de *Poesías* en la primera salida del libro como tal, después de 1907.

García Blanco en diversos trabajos fue reuniendo gran cantidad de información para la historia de los textos unamunescos. Utilizo sus investigaciones con referencia puntual. Las indicaciones de traducción también son suyas y están sacadas de *MUP*. No he empleado las variantes textuales porque constituyen el objeto fundamental de su *MUP*, obra a la que me remito.

Abreviaturas

CCMU. Cuadernos de la Cátedra Miguel de Unamuno, Salamanca, desde 1948.

EUM. Unamuno-Maragall, *Epistolario y escritos complementarios,* Madrid, 1971.

MUP. Manuel García Blanco, *Don Miguel de Unamuno y sus poesías. Estudio y antología de textos políticos no incluidos en sus libros,* «Acta Salmanticensia», VIII, Salamanca, 1954.

O. C. Miguel de Unamuno, *Obras Completas* (16 vols.), prólogo, edición y notas de Manuel García Blanco, Madrid, 1958-1964.

UI. Hernán Benítez, *El drama religioso de Unamuno,* [La segunda parte del libro es el epistolario Unamuno-Jiménez Ilundáin.], Buenos Aires, 1949.

Bibliografía[1]

CRÍTICA

En el tomo XIII de las *O. C.* de Unamuno, García Blanco reunió las reseñas que el libro mereció; me permito reproducir las referencias:

ANÓNIMO, «Poetas de hogaño. Miguel de Unamuno», en *La Crónica de Campos,* Medina de Rioseco (Valladolid), 5 de mayo de 1907.

ANÓNIMO, *«Poesías* de Miguel de Unamuno», en *El Comercio,* Lima, 10 de junio de 1907.

ANTÓN, Francisco, «Sobre Poesías de Miguel de Unamuno», en *Ateneo,* II, 1907, págs. 485-488.

CORTÓN, Antonio, «Poesías», por Unamuno, en *El Liberal,* Madrid, 7 de mayo de 1907.

DARÍO, Rubén, «Unamuno, poeta», en *La Nación,* Buenos Aires, 2 de mayo de 1909.

«FARFORELLO», «Unamuno poeta», en *La Publicidad,* Barcelona, 19 de octubre de 1906.

FERNÁNDEZ GARCÍA, Antonio, «Un nuevo libro. *Poesías,* de don Miguel de Unamuno», en *La Unión Mercantil,* Málaga, 3 de mayo de 1907.

GÓMEZ DE BAQUERO, Eduardo, «Versos de un filósofo. Las *Poesías* de Miguel de Unamuno», en «Los lunes de *El Imparcial»,* Madrid, 10 de junio de 1907.

---

[1] Aduzco sólo la bibliografía que afecta directamente a *Poesías* o alguna de las composiciones del libro.

HENRÍQUEZ UREÑA, Pedro, «*Poesías,* de Unamuno», en *Revista Moderna,* México, 1907.

JOHANNETE, René, «Choses d'Espagne. Le poète Unamuno», en *Le Bulletin de la Semaine Politique, Sociale et Religieuse,* París, 18 de septiembre de 1907.

MARFIL, Mariano, «Páginas literarias. *Poesías*», en *El Ejército Español,* Madrid, 25 de abril de 1907.

MARTÍNEZ SIERRA, Gregorio, «*Poesías,* de Unamuno», en *España Nueva,* Madrid, 26 de junio de 1907.

MAS Y PI, Juan, «Ideaciones. Las poesías de don Miguel de Unamuno», en *El Diario español,* Buenos Aires, 26 de mayo de 1907.

RUBIO, Adolfo, «Miguel de Unamuno, *Poesías*», en *Nuestro Tiempo,* VII, 1907, págs. 108-109.

SÁNCHEZ ROJAS, José, «*Poesías,* de Unamuno», en *Vida Intelectual,* I, 1907, págs. 146-152.

VIVERO, Augusto, «De Unamuno y sus versos», en *Revista Latina,* I, Madrid, septiembre de 1907.

ESTUDIOS

ALBORNOZ, Aurora de, «Un extraño presentimiento misterioso. (En los veinticinco años de la muerte de Miguel de Unamuno)», *Ínsula,* núm. 181, diciembre de 1961.

ALVAR, Manuel, «Unidad y evolución en la lírica de Unamuno», *apud Estudios y ensayos de Literatura contemporánea,* Madrid, 1971, págs. 113-138.

— «El problema de la fe en Unamuno. (La antiinfluencia de Richepin)», *apud Estudios* citados, págs. 139-159.

— «Unamuno en sí mismo: "Para después de mi muerte"», en *El comentario de textos,* Madrid, 1973, págs. 240-270.

— *Símbolo y mito en la oda «Salamanca» (CCMU,* XXIII, 1973, páginas 49-70).

BUSTOS, Eugenio de, «Miguel de Unamuno, "poeta de dentro a fuera. Análisis sémico del poema "Castilla"» *(CCMU,* XXIII 1973, págs. 71-137).

COWES, Hugo W., «Problema metodológico en un texto lírico de Unamuno [Hermosura]», *Filología,* VII, 1961, págs. 33-49.

ESCLASANS, Agustín, «Poesías, 1907», *apud Miguel de Unamuno,* Buenos Aires, 1947.

FERRERES, Rafael, «La poesía de Miguel de Unamuno. (Apuntes)», *apud Los límites del modernismo,* Madrid, 1964, págs. 83-100.

GARCÍA BLANCO, Manuel, *vid. MUP.*

— Prólogo al tomo XIII de las *O. C.,* págs. 11-99.

GÓMEZ DE BAQUERO, Eduardo, «Unamuno, poeta. Poesías», *apud Pen Club 1. Los poetas,* Madrid, 1929.

MUÑOZ CORTÉS, Manuel, «Léxico y motivos en un poema de Unamuno [Hermosura]», *Anales de la Universidad de Murcia,* curso 1954-55, págs. 5-27.

SEVILLA BENITO, Francisco, «La fe en don Miguel de Unamuno», *Crisis,* I, 1954, págs. 361-385.

Poesías

MIGUEL DE UNAMUNO

POESIAS

LIBRERÍAS

DE

:: FERNANDO FE :: ‖ VICTORIANO SUÁREZ
C.ª de S. Jerónimo, 2   Preciados, 48

MADRID

1907

Reproducción facsímil de la portada de la edición príncceps.

Introducción

¡ID CON DIOS!*

Aquí os entrego, a contratiempo acaso,
flores de otoño, cantos de secreto.
¡Cuántos murieron sin haber nacido,
dejando, como embrión, un solo verso!
¡Cuántos sobre mi frente y so las nubes   5
brillando un punto al sol, entre mis sueños
desfilaron como aves peregrinas,
de su canto al compás llevando el vuelo
y al querer enjaularlas yo en palabras
del olvido a los montes se me fueron!   10
Por cada uno de estos pobres cantos,
hijos del alma, que con ella os dejo,
¡cuántos en el primer vagido endeble
faltos de aire de ritmo se murieron!
Estos que os doy logré sacar a vida,   15
y a luchar por la eterna aquí os los dejo;
quieren vivir, cantar en vuestras mentes,
y les confío el logro de su intento.
Les pongo en el camino de la gloria
o del olvido, hice ya por ellos   20
lo que debía hacer, que por mí hagan
ellos lo que me deban, justicieros.
Y al salir del abrigo de mi casa
con alegría y con pesar los veo,
y más que no por mí, su pobre padre,   25
por ellos, pobres hijos míos, tiemblo.
¡Hijos del ama, pobres cantos míos,
que calenté al arrimo de mi pecho,
cuando al nacer mis penas balbucíais
hacíais de ellas mi mejor consuelo!   30
Íos con Dios, pues con Él vinisteis

---

* Eleanor Turnbull tradujo (1952) el poema al inglés. Cfr. Francisco Sevilla
Benito, «La fe en don Miguel de Unamuno» *(Crisis,* I, 1954, págs. 361-385).

en mí a tomar, cual carne viva, verbo,
responderéis por mí ante Él, que sabe
que no es lo malo que hago, aunque no quiero,
sino vosotros sois de mi alma el fruto;   35
vosotros reveláis mi sentimiento,
¡hijos de libertad! y no mis obras
en las que soy de extraño sino siervo;
no son mis hechos míos, sois vosotros,
y así no de ellos soy, sino soy vuestro.   40
Vosotros apuráis mis obras todas:
sois mis actos de fe, mis valederos.
Del tiempo en la corriente fugitiva
flotan sueltas las raíces de mis hechos,
mientras las de mis cantos prenden firmes   45
en la rocosa entraña de lo eterno.
Íos con Dios, corred de Dios el mundo,
desparramad por él vuestro misterio,
y que al morir, en mi postrer jornada
me forméis, cual calzadas mi sendero,   50
el de ir y no volver, el que me lleve
a perderme por fin, en aquel seno
de que a mi alma vinieron vuestras almas,
a anegarme en el fondo del silencio.
Id con Dios, cantos míos, y Dios quiera   55
que el calor que sacasteis de mi pecho,
si el frío de la noche os lo robara,
lo recobréis en corazón abierto
donde podáis posar al dulce abrigo
para otra vez alzar, de día, el vuelo.   60
Íos con Dios, heraldos de esperanzas
vestidas del verdor de mis recuerdos,
íos con Dios y que su soplo os lleve
a tomar en lo eterno, por fin, puerto.

CREDO POÉTICO*

Piensa el sentimiento, siente el pensamiento;
que tus cantos tengan nidos en la tierra,
y que cuando en vuelo a los cielos suban
    tras las nubes no se pierdan.

Peso necesitan, en las alas peso,   5
la columna de humo se disipa entera,
algo que no es música es la poesía,
    la pesada sólo queda[1].

Lo pensado es, no lo dudes, lo sentido.
¿Sentimiento puro? Quien en ello crea,   10
de la fuente del saltir nunca ha llegado
    a la viva y honda vena.

No te cuides en exceso del ropaje,
de escultor, no de sastre, es tu tarea[2],
no te olvides de que nunca más hermosa   15
    que desnuda está la idea.

No el que un alma encarna en carne, ten presente,
no el que forma da a la idea es el poeta
sino que es el que alma encuentra tras la carne
    tras la forma encuentra idea.   20

---

* Traducción al francés de Mathilde Pomès (1938) y al italiano de Oreste
Macrí (1950 y 1952) y Raffaele Spinelli (1960). Sobre este *Credo poético, vid.*
Rafael Ferreres, «La poesía de Miguel de Unamuno», en *Los límites del
modernismo y la generación del 98,* Madrid, 1964, págs. 84-86.

[1] García Blanco lee *la pensada* contra la 1.ª edición. Debe ser errata, pues
el sentido exige *pesada* como correlación de la primera palabra del verso 5.
[2] Todas las ediciones leen *y no de sastre,* pero se trata de un yerro evidente:
la coma manuscrita se confundió con la copulativa y el verso quedó
destruido.

De las fórmulas la broza es lo que hace
que nos vele la verdad, torpe, la ciencia;
la desnudas con tus manos, y tus ojos
      gozarán de su belleza.

Busca líneas de desnudo, que aunque trates   25
de envolvernos en lo vago de la niebla,
aun la niebla tiene líneas y se esculpe;
      ten, pues, ojo, no las pierdas.

Que tus cantos sean cantos esculpidos,
ancla en tierra mientras tanto que se elevan,   30
el lenguaje es ante todo pensamiento,
      y es pensada su belleza.

Sujetemos en verdades del espíritu
las entrañas de las formas pasajeras,
que la Idea reine en todo soberana;   35
      esculpamos, pues, la niebla.

DENSO, DENSO*

Mira, amigo, cuando libres
al mundo tu pensamiento,
cuida que sea ante todo
    denso, denso.

Y cuando sueltes la espita   5
que cierra tu sentimiento
que en tus cantos éste mane
    denso, denso.

Y el vaso en que nos escancies
de tu sentir los anhelos,   10
de tu pensar los cuidados,
    denso, denso.

Mira que es largo el camino
y corto, muy corto, el tiempo,
parar en cada posada   15
    no podemos.

Dinos en pocas palabras,
y sin dejar el sendero,
lo más que decir se pueda,
    denso, denso.   20

Con la hebra recia del ritmo
hebrosos queden tus versos,
sin grasa, con carne prieta,
    densos, densos.

---

* G. J. Geers la tradujo al holandés (1935).

CUANDO YO SEA VIEJO*

[The poet looks beyond the book he has made
Or else he had not made.
(ELIZABETH BARRET BROWNING,
Aurora Leigh, VIII, 279-280)]

Cuando yo sea viejo,
—desde ahora os lo digo—
no sentiré mis cantos, estos cantos,
ni serán a mi oído
más que voces de un muerto   5
aun siendo de los muertos el más mío.
Pero entonces pondré, de esto no dudo,
más esforzado ahínco
en quedarme con ellos, y su llave
para uso reservármela exclusivo.   10
Y acaso pensaré —¡todo es posible!—
en publicar un libro
en que punto por punto se os declare
cuál es su verdadero contenido.
Cuando yo sea viejo   15
renegaré del alma que ahora vivo
al querer conservarla como propia
y no comprenderé ni aun a mis hijos.
Y a vosotros entonces
—me refiero a vosotros, no nacidos   20
en mayoría acaso,
los que busquéis a esta mi voz sentido—
me volveré diciendo: «No, no es eso,
el cantor nunca quiso
semejantes simplezas dar al canto,   25
fue muy otro su tiro;

---

* El lema en un autógrafo unamuniano, no en la edición *(O. C.,* XIII,
pág. 203).

70

no le entendéis, él era
de un espíritu al vuestro muy distinto!»
Y vosotros muy dentro del respeto
—que no me le neguéis es lo que os pido—   30
debéis firmes decirme:
—«Todo eso está muy bien, buen viejecito,
pero es que estos sus cantos,
cantos a pecho herido,
son de su edad de voz y esa es la nuestra,   35
son de otro que en su cuerpo fue vecino,
y hoy ¡más nuestros que suyos!»
    Y entonces yo, hecho un basilisco,
con senil impaciencia revolviéndome
os habré de decir: —«¿Habráse visto   40
petulancia mayor, sandez más grande,
pretender estos niños
comprender de unos cantos
mejor que no el cantor cuál el sentido?
¿Mejor que no él sabrán los badulaques   45
qué es lo que decir quiso?»
    Mas no os inmutéis, sino decidme:
—«¿Quién es él?, en buen juicio,
¿quién es él?, ¿dónde está?, ¿cómo se llama?»
Y os diré yo mirándoos de hito en hito: 50
«¿Es que de mí se burlan los mocosos?,
¿pretenderán acaso estos chiquillos
pobres de juicio y hartos de osadía
negarme lo que es mío?»
«¿Suyo? —diréis—. ¡No! del que fue en un tiempo[1]   55
y hoy le es extraño ya, casi enemigo;
al dejárnoslo aquí, en estos cantos,
de él se desprendió, y aquí está vivo...»
Y yo protestaré, cual si lo viera,
pero estará bien dicho.   60
El alma que aquí dejo
un día para mí se irá al abismo;

---

[1] Corríjase la lectura de García Blanco; la mía, concorde con el texto de 1907.

no sentiré mis cantos;
recogeréis vosotros su sentido.
Descubriréis en ellos   65
lo que yo por mi parte no adivino[2],
ni aun ahora que me brotan;
veréis lo que no he visto
en mis propias visiones;
donde yo he puesto blanco veréis negro,   70
donde rojo pinté, será amarillo.
Y si ello así no fuera,
si estos mis cantos —¡pobres cantos míos!—
jamás han de decir a mis hermanos
sino esto que me dicen a mí mismo,   75
entonces con justicia
irán a dar rodando en el olvido.
Por ahora, mis jóvenes,
aquí os lo dejo escrito,
y si un día os negare   80
argüid contra mí conmigo mismo,
pues os declaro
—y creo saber bien lo que me digo—
que cuando llegue a viejo,
de este que ahora me soy y me respiro,
sabrán, cierto, los jóvenes de entonces
más que yo si a este yo me sobrevivo.

---

[2] García Blanco, sin justificación, *ni adivino.*

PARA DESPUÉS DE MI MUERTE*

Vientos abismales,
tormentas de lo eterno han sacudido
de mi alma el poso,
y su haz se enturbió con la tristeza
del sedimento.   5
Turbias van mis ideas,
mi conciencia enlojada[1],
empañado el cristal en que desfilan
de la vida las formas,
y todo triste   10
porque esas heces lo entristecen todo.
Oye tú que lees esto
después de estar yo en tierra,
cuando yo que lo he escrito
no puedo ya al espejo contemplarme;   15
¡oye y medita!
Medita, es decir: ¡sueña!
«Él, aquella mazorca
de ideas, sentimientos, emociones,
sensaciones, deseos, repugnancias,   20
voces y gestos,
instintos, raciocinios,
esperanzas, recuerdos,
y goces y dolores,
él, que se dijo yo, sombra de vida,   25
lanzó al tiempo esta queja
y hoy no la oye;

---

* Traducción francesa de M. Pomès (1938 y 1957), inglesa de E. Turnbull (1952). Un análisis de este poema «Unamuno en sí mismo "Para después de mi muerte"», debido a Manuel Alvar, se incluye en el libro *El comentario de textos,* Madrid, 1971, págs. 240-270.

[1] Aquí se lee la palabra *enlojada,* que no trae el Diccionario de la Academia y la he recogido de boca del pueblo. En otros sitios dicen *alojada,* y equivale a «turbia» tratándose del agua. Me parece deriva de *fluxu. (N. del A.)*

¡es mía ya, no suya!»
Sí, lector solitario, que así atiendes
la voz de un muerto,   30
tuyas serán estas palabras mías
que sonarán acaso
desde otra boca,
sobre mi polvo
sin que las oiga yo que soy su fuente.   35
Cuando yo ya no sea,
¡serás tú, canto mío!
¡Tú, voz atada a tinta,
aire encarnado en tierra,
doble milagro,   40
portento sin igual de la palabra,
portento de la letra,
tú nos abrumas!
¡Y que vivas tú más que yo, mi canto!
¡Oh, mis obras, mis obras,   45
hijas del alma!,
¿por qué no habéis de darme vuestra vida?,
¿por qué a vuestros pechos
perpetuidad no ha de beber mi boca?
¡Acaso resonéis, dulces palabras,   50
en el aire en que floten
en polvo estos oídos,
que ahora están midiéndoos el paso!
¡Oh, tremendo misterio!,
en el mar larga estela reluciente   55
de un buque sumergido,
¡huellas de un muerto!
¡Oye la voz que sale de la tumba
y te dice al oído
este secreto: 60
yo ya no soy, hermano!
Vuelve otra vez, repite:
¡yo ya no soy, hermano!
Yo ya no soy; mi canto sobrevíveme
y lleva sobre el mundo   65
la sombra de mi sombra,

¡mi triste nada!
Me oyes tú, lector, yo no me oigo,
y esta verdad trivial, y que por serlo
la dejamos caer como la lluvia,   70
es lluvia de tristeza,
es gota del oceano
de la amargura.
¿Dónde irás a podrirte, canto mío?[2].
¿En qué rincón oculto   75
darás tu último aliento?
¡Tú también morirás, morirá todo,
y en silencio infinito
dormirá para siempre la esperanza!

---

[2] García Blanco, *pudrirte*.

A LA CORTE DE LOS POETAS

Junto a esa charca muerta de la corte
en que croan las ranas a concierto,
se masca como gas de los pantanos,
    ramplonería.

Los renacuajos bajo la ova bullen   5
esperando que el rabo se les caiga
para ascender a ranas que en la orilla
    al sol se secan.

Y si oyen ruido luego bajo el agua,
buscan el limo, su elemento propio,   10
en el que invernan disfrutando en frío
    dulce modorra.

Sólo de noche, a su cantada luna,
se arriesgan por los campos aledaños,
a caza de dormidos abejorros,   15
    papando moscas.

¡Oh qué concierto de sonoras voces
alzan al cielo cuando el celo llega!
¿Están pidiendo rey o están cantando
    al amor trovas?   20

¿O es que envidiosas de redonda vaca
se están hinchiendo de aire los pulmones?
Es que les mueve en su cantar furioso
    la sed de gloria?

Cuando pelechen nacerá sobre ellas   25
el sol que les caliente al fin la sangre,
alas les nacerán, y sus bocotas
    darán gorjeos.

Se secará la charca y hasta el cielo
irán en busca de licor de vida   30
querrán, alondras, de las altas nubes
      libar el cáliz.

Pero, ¡no!, nuestras ranas son sesudas,
no les tienta el volar, saltan a gusto,
Jove les dio como preciada dote   35
      común sentido.

¡Oh imbéciles cantores de la charca,
croad, papad, tomad el sol estivo,
propicia os sea la sufrida luna,
      castizas ranas!   40

Castilla

Tú me levantas, tierra de Castilla,
en la rugosa palma de tu mano,
al cielo que te enciende y te refresca,
al cielo, tu amo.

Tierra nervuda, enjuta, despejada,   5
madre de corazones y de brazos,
toma el presente en ti viejos colores
del noble antaño.

Con la pradera cóncava del cielo
lindan en torno tus desnudos campos,   10
tiene en ti cuna el sol y en ti sepulcro
y en ti santuario.

Es todo cima tu extensión redonda
y en ti me siento al cielo levantado,
aire de cumbre es el que se respira   15
aquí, en tus páramos.

¡Ara gigante, tierra castellana,
a ese tu aire soltaré mis cantos,
si te son dignos bajarán al mundo
desde lo alto!   20

---

* Traducciones del poema: al holandés, de Hendrik de Vries (1934
y 1953); al alemán, de H. Gmelin (1938); al francés, de M. de Pomès (1938
y 1957) y Louis Stinglhamer (1953); al inglés de E. Turnbull (1952) y María
F. de Laguna (1954); al italiano, de O. Macrí (1952), de Lorenzo Guisso
(1956) y R. Spinelli (1960). El texto ha sido estudiado por Eugenio de Bustos:
Miguel de Unamuno, «poeta de dentro afuera». Análisis sémico del poema «Castilla»
(CCMU, XXIII, 1973, págs. 76-137).

EL MAR DE ENCINAS*

En este mar de encinas castellano
los siglos resbalaron con sosiego
lejos de las tormentas de la historia,
    lejos del sueño

que a otras tierras la vida sacudiera;   5
sobre este mar de encinas tiende el cielo
su paz engendradora de reposo,
    su paz sin tedio.

Sobre este mar que guarda en sus entrañas
de toda tradición el manadero   10
esperan una voz de hondo conjuro
    largos silencios.

Cuando desuella estío la llanura,
cuando la pela el rigoroso invierno,
brinda al azul el piélago de encinas   15
    su verde viejo.

Como los días, van sus recias hojas
rodando una tras otra al pudridero
y siempre verde el mar, de lo divino
    nos es espejo.   20

Su perenne verdura es de la infancia
de nuestra tierra, vieja ya, recuerdo,
de aquella edad en que esperando al hombre
    se henchía el seno

---

* Corríjase un error material en las notas de García Blanco *(MUP,* página 84). También hay otro yerro en el verso 55: *ceja* no está justificado en ningún sitio.

de regalados frutos. Es su calma   25
manantial de esperanza eterna eterno.
Cuando aún no nació el hombre él verdecía
    mirando al cielo,

y le acompaña su verdura grave
tal vez hasta dejarle en el lindero   30
en que roto ya el viejo, nazca al día
    un hombre nuevo.

Es su verdura flor de las entrañas
de esta rocosa tierra, toda hueso,
es flor de piedra su verdor perenne   35
    pardo y austero.

Es, todo corazón, la noble encina
floración secular del noble suelo
que, todo corazón de firme roca,
    brotó del fuego   40

de las entrañas de la madre tierra.
Lustrales aguas le han lavado el pecho
que hacia el desnudo cielo alza desnudo
    su verde vello.

Y no palpita, aguarda en un respiro   45
de la bóveda toda el fuerte beso,
a que el cielo y la tierra se confundan
    en lazo eterno.

Aguarda el día del supremo abrazo
con un respiro poderoso y quieto   50
mientras, pasando, mensajeras nubes
    templan su anhelo.

Es este mar de encinas castellano
vestido de su pardo verde viejo
a que no deja, del pueblo a que cobija   55
    místico espejo.

                                        Zamora, 13-IX-1906

                                                                       83

SALAMANCA[*][1]

Alto soto de torres que al ponerse
tras las encinas que el celaje esmaltan
dora a los rayos de su lumbre el padre
Sol de Castilla;

bosque de piedras que arrancó la historia   5
a las entrañas de la tierra madre,

---

[*] Traducciones: alemana (H. Gmelin, 1938; siete primeras estrofas y tres últimas. Victoria Cahmi, 1954), francesa (M. Pomès, 1938 y 1957; L. Stinglhamer, 1952, versión parcial), italiana (Antonio Gasparetti, 1947; O. Macrí, 1952), inglesa (E. Turnbull, 1952; M. F. de Laguna, 1954, versión parcial), holandesa (H. de Vries, 1953).

Problemas textuales y de interpretación en mi artículo «Símbolo y mito en la oda "Salamanca"» (*CCMU*, XXIII, 1973, págs. 49-70). En 1904, don Miguel envió unas estrofas del poema a don Luis Maldonado; unos días después, manda otras a Eduardo Marquina con variantes con respecto a las anteriores; variantes hay también en una carta a Camille Pitollet (1904) y en el texto impreso en la *Ilustración Española y Americana* (30-XII-1904): todo este largo proceso de elaboración culminó en la versión —la más bella de todas— que se imprimió en *Poesías (vid. MUP*, págs. 51-67).

Para celebrar el VII Centenario de la Universidad de Salamanca, el maestro Joaquín Rodrigo escribió *Música para un códice salmantino*, donde puso música a diez estrofas del poema. Sobre estos poemas dedicados a la ciudad en la que tanto vivió, *vid.* Luciano G. Egido, *Salamanca, la gran metáfora de Unamuno*, Salamanca, 1983.

Los versos 52 y siguientes fueron tenidos en cuenta por Michele Federico Sciacca, *Il chisciotismo tragico de Unamuno*, Milán, 1971, págs. 34-35. También se comentaron (vv. 83 y ss.) por Charles Moeller, «Quelques aspects de l'itineraire spirituel d'Unamuno», en *Unamuno a los cien años*, Salamanca, 1967, págs. 73-75.

[1] Salamanca.—Los que conocen Salamanca saben que al pie de la fachada plateresca de su Universidad se alza una estatua de Fray Luis de León, en el patio alegrado por la algazara estudiantil en los intermedios de las clases y silencioso y mustio cuando éstas se cierran.

La estrofa referente a Cervantes no es más que el arreglo de un pasaje en prosa en que él mismo habla de cómo la apacibilidad de la vivienda de Salamanca enhechiza la voluntad de volver a ella.

El adjetivo *pedernoso* me he permitido forjar con arreglo a la analogía de *pedernal y* otras formaciones similares. *(N. del A.)*

remanso de quietud, yo te bendigo,
  ¡mi Salamanca!

Miras a un lado, allende el Tormes lento,
de las encinas el follaje pardo   10
cual el follaje de tu piedra, inmoble,
  denso y perenne.

Y de otro lado, por la calva Armuña,
ondea el trigo, cual tu piedra, de oro,
y entre los surcos al morir la tarde   15
  duerme el sosiego.

Duerme el sosiego, la esperanza duerme,
de otras cosechas y otras dulces tardes,
las horas al correr sobre la tierra
  dejan su rastro.   20

Al pie de tus sillares, Salamanca,
de las cosechas del pensar tranquilo
que año tras año maduró en tus aulas
  duerme el recuerdo.

Duerme el recuerdo, la esperanza duerme, 25
y es el tranquilo curso de tu vida
como el crecer de las encinas, lento,
  lento y seguro.

De entre tus piedras seculares, tumba
de remembranzas del ayer glorioso, 30
de entre tus piedras recogió mi espíritu
  fe, paz y fuerza.

En este patio que se cierra al mundo
y con ruinosa crestería borda
limpio celaje, al pie de la fachada   35
  que de plateros

ostenta filigranas en la piedra,
en este austero patio, cuando cede

el vocerío estudiantil, susurra
    voz de rcuerdos.   40

En silencio Fray Luis quédase solo
meditando de Job los infortunios,
o paladeando en oración los dulces
    nombres de Cristo.

Nombres de paz y amor con que en la lucha 45
buscó conforte, y arrogante luego
a la brega volvióse amor cantando,
    paz y reposo.

La apacibilidad de tu vivienda
gustó, andariego soñador, Cervantes,   50
la voluntad le enhechizaste y quiso
    volver a verte.

Volver a verte en el reposo quieta,
soñar contigo el sueño de la vida,
soñar la vida que perdura siempre   55
    sin morir nunca.

Sueño de no morir es el que infundes
a los que beben de tu dulce calma,
sueño de no morir, ése que dicen
    culto a la muerte.   60

En mí florezcan cual en ti, robustas,
en flor perduradora las entrañas
y en ellas talle con seguro toque
    visión del pueblo.

Levántense cual torres clamorosas   65
mis pensamientos en robusta fábrica
y asiéntese en mi patria para siempre
    la mi Quimera.

Pedernoso cual tú sea mi nombre
de los tiempos la roña resistiendo,   70

y por encima al tráfago del mundo
    resuene limpio.

Pregona eternidad tu alma de piedra
y amor de vida en tu regazo arraiga,
amor de vida eterna, y a su sombra   75
    amor de amores.

En tus callejas que del sol nos guardan
y son cual surcos de tu campo urbano,
en tus callejas duermen los amores
    más fugitivos.   80

Amores que nacieron como nace
en los trigales amapola ardiente
para morir antes de la hoz, dejando
    fruto de sueño.

El dejo amargo del Digesto hastioso   85
junto a las rejas se enjugaron muchos
volviendo luego, corazón alegre,
    a nuevo estudio.

De doctos labios recibieron ciencia
mas de otros labios palpitantes, frescos,   90
bebieron del Amor, fuente sin fondo,
    sabiduría.

Luego en las tristes aulas del Estudio,
frías y oscuras, en sus duros bancos,
aquietaron sus pechos encendidos   95
    en sed de vida.

Como en los troncos vivos de los árboles
de las aulas así en los muertos troncos
grabó el Amor por manos juveniles
    su eterna empresa.   100

Sentencias no hallaréis del Triboniano,
del Peripato no veréis doctrina,

ni aforismos de Hipócrates sutiles,
    jugo de libros.

Allí Teresa, Soledad, Mercedes,   105
Carmen, Olalla, Concha, Blanca o Pura,
nombres que fueron miel para los labios,
    brasa en el pecho.

Así bajo los ojos la divisa
del amor, redentora del estudio,   110
y cuando el maestro calla aquellos bancos
    dicen amores.

Oh Salamanca, entre tus piedras de oro
aprendieron a amar los estudiantes
mientras los campos que te ciñen daban   115
    jugosos frutos.

Del corazón en las honduras guardo
tu alma robusta, cuando yo me muera,
guarda, dorada Salamanca mía,
    tú mi recuerdo.   120

Y cuando el sol al acostarse encienda
el oro secular que te recama,
con tu lenguaje, de lo eterno heraldo,
    di tú que he sido.

[1904]

LA TORRE DE MONTERREY*

A LA LUZ DE LA LUNA

Torre de Monterrey, cuadrada torre,
que miras desfilar hombres y días,
tú me hablas del pasado y del futuro
    Renacimiento.

De día el sol te dora y a sus rayos   5
se aduermen tus recuerdos vagarosos,
te enjalbega la Luna por las noches[1]
    y se despiertan.

Velas tú por el día, enajenada,
confundida en la luz que en sí te sume   10
y en las oscuras noches te sumerges
    en la inconciencia.

Mas la Luna en unción dulce al tocarte
despiertas de la muerte y de la vida,
y en lo eterno te sueñas y revives   15
    en tu hermosura.

¡Cuántas noches, mi torre, no te he visto
a la unción de la Luna melancólica
despertar en mi pecho los recuerdos
    de tras la vida!   20

De la Luna la unción por arte mágica
derrite la materia de las cosas

---

* Hay un autógrafo de 1906, que difiere del texto impreso (cfr. *MUP*, págs. 78-79).

[1] En el texto impreso, *enlabelga*.

y su alma queda así flotante y libre,
    libre en el sueño.

  Renacer me he sentido a tu presencia,   25
torre de Monterrey, cuando la Luna
de tus piedras los sueños libertaba
    y ellas cedían.

  Y un mundo inmaterial, todo de sueño,
de libertad, de amor, sin ley de piedra,   30
mundo de luz de luna confidente
    soñar me hiciste.

  Torre de Monterrey, dime, mi torre,
¿tras de la muerte el Sol brutal se oculta
o es la Luna, la Luna compasiva,   35
    del sueño madre?

  ¿Es ley de piedra o libertad de ensueño
lo que al volver las almas a encontrarse
las unirá para formar la eterna
    torre de gloria?   40

  Torre de Monterrey, soñada torre,
que mis ensueños madurar has visto,
tú me hablas del pasado y del futuro
    Renacimiento.

                  [mayo de 1906]

CRUZANDO UN LUGAR*

Fue al cruzar una tarde un lugarejo
entre el polvo tendido en la llanada[1]
a la hora de sopor que a la campiña
la congestión vital hunde y aplana,
cuando dormita bajo el sol que pesa   5
infiltrando modorra en sus entrañas.
Al oír resonar dentro en la calle
los cascos del caballo alzó la cara
y dos ojos profundos me miraron
cual del seno de una isla solitaria.   10
Fue mirar de reposo y de tristeza,
todo un pasado en él se revelaba;
desde olvidado islote parecía
el adiós silencioso que se manda,
el silencioso adiós al pasajero   15
que cruza el mar de largo en su fragata
para hundirse allá lejos, donde besan
al cielo en el confín, remotas aguas.
Seguí yo mi sendero, pensativo,
en mi pecho llevando su mirada,   20
aquellos negros ojos tras los cuales
misterios dolorosos vislumbrara.
La pobre niña del lugar oscuro
sólo pedía... lo que quieran darla,
por amor del Amor una limosna,   25
abrazo espiritual a la distancia.
Fue un instante brevísimo, un relámpago

---

* De este poema hay un texto de 1903, publicado en *La Estafeta Literaria* (número 39, 30-XII-1945), que difiere del de 1907. El cortejo se puede ver en *MUP,* págs. 49-50.

[1] Mal leído en *O. C.,* XIII, 223. Las versiones de 1903 y de 1907 dicen *el polvo.*

que llevó a vivo toque nuestras almas;
fue un alzamiento del oscuro seno
en que reposan las profundas aguas   30
a que la luz no llega de la mente,
fue un empuje del alma de nuestra alma,
la que durmiendo en nuestro vivo lecho,
de sí misma ignorante, en paz descansa.
Tal debió ser, porque al sentir en vivo   35
de aquellos ojos la tenaz mirada,
repentina inmersión en el océano
sentí, en que se me anega la esperanza.
. . . .
Fue al cruzar una tarde un lugarejo
entre el polvo tendido en la llanada[2]   40
a la hora de sopor que a la campiña
la congestión vital hunde y aplana,
cuando dormita bajo el sol que llueve
infiltrando modorra en sus entrañas.

   Han corrido los días desde entonces   45
y prendido en mi pecho su mirada
y empieza a florecer y dar sus frutos[3]
y a mi espíritu todo lo embalsama.
Y como en huerto de convento guardo
de ojos profanos esta tierna planta,   50
y doy sus frutos y no sabe el mundo
que dichoso dolor me los arranca.

[1903]

---

[2] Cfr. mi nota al v. 2.
[3] García Blanco, *y a dar*, pero los textos de 1903 y 1907 son concordes con
lo que he transcrito.

EL ÚLTIMO HÉROE*

Era al ponerse el sol en la llanura;
pálida sombra inmensa proyectaba
de las ruinas el humo
subiendo espeso;

acá y allá tendidos, sobre sangre,   5
contemplaban la azul bóveda inmóvil
con inmóviles ojos
los que lucharon.

De Dios en la pupila sus pupilas
hundían los vencidos caballeros,   10
del último combate
cobrando el premio.

Rodeaban la que fue roquera torre,
señora de los páramos adustos,
en tropa bulliciosa   15
los vencedores.

---

* El 19 de diciembre de 1906, Juan Maragall escribió una hermosa carta a Unamuno. Empezaba con estas palabras: «Querido amigo: Éste es el momento de escribirle, ante esta romántica puesta de sol que veo a traves de mi ventana: unas nubes de encendido carmín en el fondo de un cielo claro y verdoso, veladas por otras nubes oscuras, pero tenues como una gasa, y más cerca de las cimas finas, inmóviles, de los árboles ya casi negros.» Algo después, el poeta catalán continúa: «Le veo como el último héroe en pie de una batalla perdida, rodeado de cadáveres y de ruinas humeantes, irguiéndose todavía, aunque ya solo.» Dos días después, contestaba Unamuno: «Muy querido amigo: Esto no es carta. Le escribiré con calma. Acabo de leer la suya, esta mañana, y me ha sugerido lo que va.» Y *lo que va* era la poesía que ahora comentamos. El 3 de enero, había respuesta desde Barcelona: «Muy querido amigo: Para escribir a V. necesito recogerme, y esto no ha sido posible hasta hoy, en tantos días como llevo conmigo a todas partes su *Último héroe*; y lo llevo no sólo en el papel, sino dentro de mí, porque yo creo que es su poesía más fuerte; sobria, intensa; poesía en fin», etc. *(vid. EUM, págs. 47-52).*

Sus luengas sombras al caer la lumbre
cubrían de piedad a los vencidos;
    era como una tregua;
      el sol moría.   20

Con las armas rendidas contemplaban
—el asombro en sus ojos y sus pechos—
    encima de las ruinas
    un hombre solo.

Tiene en la diestra el puño de una espada,   25
de una bandera el asta en la siniestra
    rodó la hoja al suelo,
    voló la tela.

Sus ojos reverberan del poniente
donde el sol se enterró, los arreboles,   30
    sangre hecha luz del campo,
    sangre del cielo.

Contempla ante sus pies los caballeros
que serán pronto dueños de su tierra,
    y con su Dios hablando   35
    grita: ¡vencimos!

Los arreboles fúndense en ceniza,
nacen estrellas tras la nube de humo,
    y al asta y puño asido
    rueda el postrero.   40

Doblan los vencedores sus rodillas,
de entre las ruinas álzase la luna,
    y es su blancura el riego
    de la victoria.

                    [diciembre de 1906]

EL AVENTURERO SUEÑA

Soñó la vida en la llanura inmensa
   bajo el cielo bruñido
     como un espejo,
la sonó inacabable y reposada   5
   llevando el mundo todo
     dentro del pecho.

Y al contemplar en el ocaso sierras
   de nubes encendidas,
     soñó su esfuerzo
que más allá se abrían nuevos mundos   10
   encendidos, cual nubes,
     todo portentos.

Mundos de oro, de rojo, de vestiglos,
   que muy pronto en ceniza
     verá deshechos,   15
cuando sus ojos infinitos abra
   al despertar, de noche,
     su padre el cielo.

Y más allá también de las estrellas
   soñó valles recónditos   20
     de un mundo eterno,
un mundo de oro líquido en que el alma
   cobra frescor de vida
     del mismo fuego.

Su corazón sentíase abrumado   25
   de los henchidos siglos
     so el duro peso,
peladas sierras de mortal fatiga
   llevaba su alma a cuestas,
     de nacimiento.   30

Y se dejó mecer al dulce arrullo
que en la serena noche
llega en secreto
de la bóveda toda, a quien contempla
de sus millones de ojos   35
el parpadeo.

Y al resplandor de la preñada luna
vio perderse los páramos
blancos y yermos
allá en las nubes, y arrancar desde éstas   40
de Santiago el camino
con rumbo al cielo.

Cielo, nubes y tierra, todo uno
le reveló la luna
—¡mágico espejo!—   45
todo ceniza que algún día en polvo
volverá para siempre
de Dios al seno.

EL REGAZO DE LA CIUDAD*

Es, mi ciudad dorada, tu regazo
como el regazo amado en que reside
el corazón que por el nuestro late;
    regazo de sosiego
      preñado de inquietudes,   5
sereno mar de abismos tormentosos.

En él se vive en paz soñando guerra;
    las horas en silencio
dejan oír la voz con que nos llama
la eternidad a la abismal congoja.   10

Es, mi ciudad dorada, tu regazo
un regazo
de amor todo amargura,
    de paz todo combate
y de sosiego en inquietud basado.

---

* Traducida al italiano (1917) por Gerardo Marone.

EN LA CATEDRAL VIEJA DE SALAMANCA

Sancta Ovetensis, Pulchra Leonina,
Dives Toletana, Fortis Salmantina

Sede robusta, fuerte *Salmantina,*
tumba de almas, dura fortaleza,
   siglos de soles viste
     dorar tu torre.

Dentro de ti brotaron las plegarias   5
cual verdes palmas aspirando al cielo
   y en rebote caían
     desde tus bóvedas.

Éste el hogar de la ciudad fue antaño:
aquí al alzarse en oblación la hostia,   10
   con las frentes dobladas
     y de rodillas,

temblando aún los brazos de la lucha
contra el infiel, sintieron los villanos
   en sus ardidos pechos   15
     nacer la patria.

Mas hoy huye de ti la muchedumbre
y tan sólo uno y otro, sin mirarse,
   buscan en ti consuelo
     o tal vez sombra.   20

Templo esquilmado por un largo culto
que broza y cardo sólo de sí arroja,

---

[1] Sabido es que se llamó basílicas a los templos conocidos primitivamente con este nombre, por haberse tomado su traza arquitectónica de la de las *basílicas* o audiencias, significado la voz «regias». *(N. del A.)*

                    tras de barbecho pide
                        nuevo cultivo.

        Sólo el curioso turba tu sosiego,   25
    de estilos disertando entre tus naves,
            pondera tus columnas
                elefantinas.

        El silencio te rompe de la calle
    viva algazara y resonar de turbas,   30
            es el salmo del pueblo
                que se alza libre.

        Libre de la capucha berroqueña
    con que fe berroqueña lo embozara,
            libre de la liturgia,   35
                libre del dogma.

        ¡Oh mortaja de piedra, ya ni huesos
    quedan del muerto que guardabas, polvo
            por el soplo barrido
                del Santo Espíritu!   40

        Ellos sin templo mientras tú sin fieles,
    casa vacía tú y fe sin casa
            la nueva fe que a ciegas
                al pueblo empuja.

        En tus naves mortal silencio, y frío,   45
    y en las calles, sin bóvedas ni arcadas,
            calor, rumor de vida
                de fe que nace.

        Las antiguas basílicas[1], las regias
    salas de la justicia ciudadana   50
            brindáronle su fábrica
                del Verbo al culto.

        Y el Espíritu Santo que en el pueblo
    va a encarnar, redentor de las naciones,

¿dónde hallará basílica, 55
de sede regia?

Quiera Dios, vieja sede salmantina,
que el pueblo tu robusto pecho llene,
florezca en tus altares
un nuevo culto, 60

y tu hermoso cimborrio bizantino
se conmueva al sentir cómo su seno
renace oyendo en salmo
la Marsellesa.

HERMOSURA*

¡Aguas dormidas,
verdura densa,
piedras de oro,
cielo de plata!

Del agua surge la verdura densa,
de la verdura,
como espigas gigantes, las torres
que en el cielo burilan
en plata su oro.   5
Son cuatro fajas:
la del río, sobre ella la alameda,
la ciudadana torre
y el cielo en que reposa.
Y todo descansando sobre el agua,   10
fluido cimiento,
agua de siglos,
espejo de hermosura.
La ciudad en el cielo pintada
con luz inmoble,   15
inmoble se halla todo,
el agua inmoble,
inmóviles los álamos,
quietas las torres en el cielo quieto.
Y es todo el mundo;   20
detrás no hay nada.
Con la ciudad enfrente me hallo solo

---

* Traducciones: italiana (Angiolo Marcori, 1934), serbia (A. Cettineo, 1934), inglesa (E. Turnbull, 1952). El poema fue estudiado por Manuel Muñoz Cortés, «Léxico y motivos en un poema de Unamuno» *(Anales de la Universidad de Murcia,* Curso 1954-55, págs. 5-27) y por Hugo W. Cowes, «Problema metodológico en un texto lírico de Miguel de Unamuno» *(Filología,* VII, 1961, págs. 33-49).

y Dios entero
respira entre ella y yo toda su gloria.
A la gloria de Dios se alzan las torres,   25
a su gloria los álamos,
a su gloria los cielos
y las aguas descansan a su gloria.
El tiempo se recoje,
desarrolla lo eterno sus entrañas;   30
se lavan los cuidados y congojas
en las aguas inmobles,
en los innobles álamos,
en las torres pintadas en el cielo,
mar de altos mundos.   35
El reposo reposa en la hermosura
del corazón de Dios que así nos abre
tesoros de su gloria.
Nada deseo,
mi voluntad descansa,   40
mi voluntad reclina
de Dios en el regazo su cabeza
y duerme y sueña...
Sueña en descanso
toda aquesta visión de alta hermosura.   45
¡Hermosura! ¡Hermosura!
descanso de las almas doloridas
enfermas de querer sin esperanza.
¡Santa hermosura,
solución del enigma!   50
Tu matarás la Esfinge,
tú reposas en ti sin más cimiento;
Gloria de Dios, te bastas.
¿Qué quieren esas torres?
ese cielo ¿qué quiere?   55
¿qué la verdura?
y ¿qué las aguas?
Nada, no quieren;
su voluntad murióse;
descansan en el seno   60
de la Hermosura eterna;

son palabras de Dios limpias de todo
querer humano.
Son la oración de Dios que se regala
cantándose a sí mismo,   65
y así mata las penas.
. . . .
La noche cae, despierto,
me vuelve la congoja,
la espléndida visión se ha derretido,
vuelvo a ser hombre.   70
Y ahora dime, Señor, dime al oído:
¿tanta hermosura
matará nuestra muerte?

EL CRISTO DE CABRERA*

(Recuerdo del 21 de mayo de 1899)

¡Valle de selección en que el silencio
  melancolía incuba,
  asilo de sosiego,
  crisol de la amargura,
    valle bendito,   5
solitario retiro
del Cristo de Cabrera,
tu austera soledad bendita sea!
    La encina grave
  de hoja oscura y perenne   10
  que siente inmoble
  la caricia del aire,
derrama austeridad por el ambiente,
y como en mar, allá, del horizonte
  en el confín se pierde...   15
  ¡Ay, quién me diera
    libre del tiempo,

---

* *Vid.* Manuel Alvar, «Unidad y evolución en la lírica de Unamuno», *apud Estudios y ensayos de literatura contemporánea*, Madrid, 1971, págs. 113-138. Información sobre el texto, y variantes entre las relaciones de *Revista Nueva* (1899) y *Poesías*, en *MUP*, págs. 24-29. En relación con el tema de que me ocupo, véase la edición de *El Cristo de Velázquez*, hecha por Víctor García de la Concha (Madrid, 1987).
En carta a Jiménez Ilundáin (24 de mayo de 1899), decía Unamuno: «[La *Revista Nueva* publicará] *El Cristo de Cabrera*, cuyo pensamiento y algunos trozos he traído de una excursión que acabo de hacer a la ermita de ese Cristo y a Terrones. Es una imagen muy tosca, de expresión hierática e impasible, rodeada de ex-votos, y en una ermita que se alza en un campo solemne y austero, de reposadas encinas. Es un Cristo impasible, como la naturaleza que le rodea. Un Cristo sedante, que parece abrazar al campo en abrazo eterno y silencioso. Llevan a sus pies los campesinos el vaso del corazón henchido de penas, se lo dejan allí, en ofrenda, y mientras rezan en silencio va el pesar sedimentándose y les quedan las aguas *serenas* de la tristeza resignada, como la de aquel campo» *(UI,* págs. 294-295).

en tu calma serena
descansar renunciando a todo vuelo,
    y en el pecho del campo   20
    bajo la encina grave
en lo eterno alma mía, asentarte
    a la muerte esperando!
    Aquí el morir un derretirse dulce
en reposo infinito debe ser,   25
    en el río que fluye
        del mar eterno,
    un henchirse en su seno
    de vida soberana,
    en que se anega el alma,   30
un retorno a la fuente del ser...
    Oración mística
del ámbito allí se alza silenciosa,
    resignación predica
e inconciente esperanza la campiña,   35
    allí callan las horas
    suspensas del silencio
    bajo el misterio,
    ¡voz de la eternidad!
    Mana cordial tristeza   40
de la difusa luz que de la encina
    el ramaje tamiza
    y es la tristeza
    calma serena.
    Del Cristo la capilla,   45
    humilde y recojida,
las oraciones del contorno acoje;
    es como el nido
    donde van los dolores
a dormir en los brazos del Cristo.   50
    Del sosegado valle
    el espíritu suave
cual celestial rocío en el santuario
    cuaja invisible;
    es el alma del campo   55
    que a su vez culto rinde

del Hombre al Hijo,
diciendo a su manera
con misterioso rito
que es cristiana también Naturaleza.   60
. . . .
    La noche de la cena
    con el alma del hombre
henchida hasta la muerte de tristeza,
se retiró Jesús como a oratorio
    del olivar al monte,   65
    y allí puesto de hinojos
y en él el Hombre y Dios en recia lucha
pidió a su Padre le apartara el vaso
        de la amargura,
    hasta que al fin sumiso   70
vencedor del combate soberano,
    manso cordero, dijo:
«¡Mi voluntad no se haga, mas la tuya!»
    Bajó entonces del cielo
    a confortarle un ángel   75
y en las angustias del dolor supremo
    sudó gotas de sangre,
gotas que descendían a la tierra,
    a la tierra, su madre,
las entrañas bañándola en tristeza   80
    y en zumo de pesares.
    Por eso cuando el sol en el ocaso
        se acuesta lento,
como perfume espiritual del campo
    sube místico rezo,   85
    que es como el eco
que de los siglos al través repite
    el resignado ruego
de la pobre alma hasta la muerte triste,
¡de aquel sudor de sangre es el incienso!   90
    Allí en Cabrera,
    al caer de la tarde
al corazón acude aquella escena
    del más fecundo duelo,

mientras desciende al valle   95
    ¡santo sosiego!
    Rústica imagen
    de foco sirve
a los anhelos de la pobre gente
que al conjuro sutil de aquel paraje   100
        concurre triste
    a cerner sus pesares
del encinar en la quietud solemne,
    o rebosando gozo,
    de la promesa en alas,   105
para rendir de gratitud el voto
    acude consolada.
    No es tal imagen ni aun trasunto vago[1]
del olímpico cuerpo que forjaron
    los que con arte y fuego[2]   110
poema hicieron de la humana forma,
    sino torpe bosquejo
        de carne tosca
con sudor amasada del trabajo
    en el molde de piedra   115
    sobre la dura tierra.
    Aquella fealdad y grosería
    de pobre monstruo humano
    que en sí el fruto recoje
que los vicios sembraron de los hombres,   120
    honda piedad inspiran
        al pobre Cristo
    amasado con penas,
    al Cristo campesino
    del valle de Cabrera.   125
    Del leño a que sus brazos
        están clavados,
    penden de ex-votos cintas
    y pinturas sencillas

---

[1] La edición príncipe, *de tal imagen,* yerro evidente.

[2] García Blanco da una lectura errónea, *fuego* por *juego,* no justificada en ninguna variante.

que en tosquedad al Cristo se aparejan 130
    en la cámara ostentan
        sencilla fe.
    ¡Cuántos del corazón el cáliz vivo[3],
    de congojas henchido,
llevaron a sus pies cual pía ofrenda 135
    la más preciada y tierna,
    y rebasó la pena,
    y en llanto se vertió!
¡Cuántos bajo el mirar de aquella imagen,
    mirar hierático, 140
    dulce efluvio sedante
sintieron que sus penas adormía
    y que el divino bálsamo
tornábales al sueño de la vida
    a la resignación! 145
    Y al salir de la ermita,
    al esplendor del campo,
    llevando en la retina
    del tosco Cristo los tendidos brazos,
soñar debieron en borroso ensueño 150
    que desde el alto cielo
        lleno de paz,
el Amor que en su seno recojiera
    del mundo las flaquezas,
    del trabajo las penas, 155
a posarse piadoso bajó al suelo
y abrazó al campo con abrazo tierno
    ¡el infinito Amor!

---

[3] La lectura *el cáliz* aparece en García Blanco, pero en ninguna versión; la creo —sin embargo— necesaria para el sentido.

Cataluña

LA CATEDRAL DE BARCELONA*

A Juan Maragall,
nobilísimo poeta.

La catedral de Barcelona dice:

    Se levantan, palmeras de granito,
desnudas mis columnas; en las bóvedas
abriéndose sus copas se entrelazan,
y del recinto en torno su follaje   5
espeso cae hasta prender en tierra,
desgarrones dejando en ventanales,
y cerrando con piedra floreciente
tienda de paz en vasto campamento.
Al milagro de fe de mis entrañas   10
la pesadumbre de la roca cede,
de su grosera masa se despoja
mi fábrica ideal, y es solo sombra,
sombra cuajada en formas de misterio,
entre la luz humilde que se filtra   15
por los dulces colores de alba eterna.
Ven, mortal afligido, entra en mi pecho,
entra en mi pecho y bajaré hasta el tuyo;

---

* Traducción alemana de H. Gmelin (1938).
Unamuno estuvo en Barcelona en octubre de 1906 y en esta ocasión conoció a Maragall. *Vid. MUP,* pág. 87, donde hay que rectificar algún error. Las variantes de la redacción de 1906 con relación a las de *Poesías* constan en *MUP,* pág. 88.
La impresión que el poema produjo en Maragall se puede leer en las páginas 36-37 del *EUM;* la respuesta de Unamuno, en las págs. 38-39. El viaje a Barcelona le resultó decepcionante *(vid.* la nota 109). En una carta a Luis de Zulueta comenta: «Mantengo una viva correspondencia con Maragall, el solitario de San Gervasio. ¡Qué hombre! No sé cómo puede vivir allí, entre tanto bullanguero melenudo y tanto fonógrafo de novedades ultrapirinaicas. De él y de Miró es de quien más me acuerdo. Lo demás... fachada según el modelo mundial» *(Cartas,* págs. 191-193).

modelarán tu corazón mis manos,
—manos de sombra en luz, manos de madre—   20
convirtiéndolo en templo recojido,
y alzaré en él, de nobles reflexiones
altas columnas de desnudo fuste
que en bóvedas de fe cierren sus copas.
Alegría y tristeza, amor y odio,   25
fe y desesperación, todo en mi pecho
cual la luz y la sombra se remejen[1],
y en crepúsculo eterno de esperanza
se os llega la noche de la muerte
y os abre el Sol divino, vuestra fuente.   30
Cuerpo soy de piedad, en mi regazo
duermen besos de amor, empujes de ira,
dulces remordimientos, tristes votos,
flojas promesas y dolores santos.
Dolores sobre todo; los dolores   35
son el crisol que funde a los mortales,
mi sombra es como místico fundente,
la sombra del dolor que nos fusiona.
Aquí bajo el silencio en que reposo,
se funden los clamores de las ramblas,   40
aquí lava la sombra de mi pecho
heridas de la luz del cielo crudo.
Recuerda aquí su hogar al forastero,
mi pecho es patria universal, se apagan
en mí los ecos de la lucha torpe   45
con que su tronco comunal destrozan
en desgarrones fieros los linajes.
Rozan mi pétreo seno las plegarias
vestidas con lenguajes diferentes
y es un susurro solo y solitario,   50
es en salmo común, una quejumbre.
Canta mi coro en el latín sagrado
de que fluyeron los romances nobles,

---

[1] Aquí se lee la voz *remejer*, corriente en la región del oeste y noroeste de España y que equivale a mezclar *(remiscere)*. (N. del A.)

canta en la vieja madre lengua muerta
que desde Roma, reina de los siglos,   55
por Italia, de gloria y de infortunio
cuna y sepulcro, vino a dar su verbo
a esta mi áspera tierra catalana,
a los adustos campos de Castilla,
de Portugal a los mimosos prados,   60
y al verde llano de la dulce Francia.
Habita en mí el espíritu católico,
y es de Pentecostés lengua mi lengua,
que os habla a cada cual en vuestro idioma,
los bordes de mi boca acariciando   65
de vuestros corazones los oídos.
Funde mi sombra a todos, sus colores
se apagan a la luz de mis vidrieras;
todos son uno en mí, la muchedumbre
en mi remanso es agua eterna y pura.   70
Pasan por mí las gentes, y su masa
siempre es la misma, es vena permanente,
y si cambian parece allá en el mundo
es que cambian las márgenes y el lecho
sobre que corre en curso de combates.   75
Venid a mí cuando en la lid cerrada
al corazón os lleguen las heridas,
es mi sombra divino bebedizo
para olvidar rencores de la tierra,
filtro de paz, eterno manadero   80
que del cielo nos trae consolaciones.
Venid a mí, que todos en mí caben,
entre mis brazos todos sois hermanos,
tienda del cielo soy acá en la tierra,
del cielo, patria universal del hombre.

[1906]

TARRASA

16-X-1906

Nuestros ojos volviéronse imantados[1]
en pos de aquel hechizo;
brotó de entre las fábricas
un lirio humano.
Sus líneas que a la tierra   5
con libre y noble ondulación bajaban
iban cortando en triunfo de la vida
los serviles trazados
de las viviendas.
Toda de negro, en los despiertos ojos   10
la conciencia serena
del futuro esplendor de la corola
aún envuelta en capullo.
Mecíase en el suelo
cortando el aire manso,   15
sobre tobillos de mimbreño fuste
y a su paso la tierra
perdía el peso.
    Era su cuerpo un canto de promesas,
un canto de esperanza;   20
con libre y noble ondulación sus notas
bajaban a la tierra
o desde ésta surgiendo
mecíanse en el aire sosegado.
Era la niña   25
un lirio humano henchido de promesas,
un canto de esperanza.
Y al perderla de vista
sin duda para siempre
me dije alzando el corazón al cielo: 30

---

[1] Prefiero *imantados*, del autógrafo, al *encantados* del texto impreso.

114

—«Gracias, Señor, en nombre de mi patria,
mientras tú nos regales
con flores de hermosura
florecerá en nosotros la esperanza;
ésta ha sido señal de tu clemencia,   35
de que nos quieres;
ésta ha sido señal de que tu mano
eterna fuente de hermosura viva,
nos lleva en dulce toque,
suave como las líneas ondulantes   40
de este dulce capullo de Tarrasa,
hacia nobles destinos.»

[16 de octubre de 1906]

L'APLEC DE LA PROTESTA*

Barcelona, 21-X-1906

Fundiéronse en el aire las palabras
de los tribunos,
resonó el circo en un batir de palmas
—*l'aplec de la protesta*—
luego brotó un pañuelo   5
y al punto se pobló la gradería
de blancas flámulas.
Diríase una banda de gaviotas
después de haber pasado a flor de océano
cuando alza el vuelo   10
y un momento se agita a ras del agua,
templando la partida.
En el cuello del pecho un nudo todos
sintieron repentino,

---

* La situación que refleja este poema se hermana por completo con las cartas que escribió a Luis de Zulueta (24 de diciembre de 1906) y a Jiménez Ilundáin. La primera dice así:

> Mi viaje a Barcelona ha contribuido a entristecerme. Me ha arrebatado una última ilusión. Hoy creo en Barcelona menos que en Madrid, y cada día que pasa, menos. Aquello no es serio y luego no toleran la contradicción, y al que no les dice lo que querían que se les dijese lo declaran memo o poco menos *(Cartas* a Luis de Zulueta, pág. 190).

De la segunda es este fragmento:

> Y luego esto de España me apena cada vez más. La avenida de la ramplonería y la cuquería sube. Voy creyendo que no nos queda sino emigrar en masa a América. Barcelona fue mi último desencanto. Volví de allí triste. Aquello es Tarascón. Fachada y fachada. Tienen bandera e himno, sólo les falta un aniversario y desfilar en él con sus banderas, cantando *Els segadors* y lanzando vivas que no resucitan a nadie, en correcta formación, como bomberos *(UI,* pág. 416).

y el picor en los ojos de las lágrimas   15
por pudor contenidas.
«¡Oh, qué es hermoso!»
exclamaban blandiendo sus pañuelos,
«¡oh, qué es bonito!»
Fue el triunfo de la estética   20
¡el espectáculo!
«¡Oh, qué es hermoso!»
y cebaban sus ojos conmovidos
en aquella nevada
como de grandes pétalos de lirio.   25
«¡Oh, qué es hermoso!»
y los blancos pañuelos protestaban
en *aplec* de protesta.
«¡Oh, qué es bonito!», y ve, la muchedumbre
vacía sus sentires   30
en esa voz de triunfo.
¡Todo un momento, sí, todo un momento
una impresión de vida,
de vida volandera;
los sentidos gozaron un regalo,   35
fiesta para los ojos,
sardana de pañuelos agitados,
fusión de las miradas
en un solo momento de hermosura...
fue la protesta!   40
Y allí acabó, sumida en el momento,
allí se deshojó su flor brillante,
la flor de la protesta;
sus blancos pétalos
se agitaron por cima del océano   45
de las cabezas,
del mar de corazones por encima,
se ajaron luego...
Momento de hermosura... ¡bien! ¿y el fruto?
    Y al salir en el río de la gente   50
bajo el cielo a que lavan lagoteras
brisas del mar latino,
sentí en mi pecho

la voz grave del mar de mi Vizcaya,
la que brizó mi cuna,
voz que decía:
¡seréis siempre unos niños, levantinos!,
¡os ahoga la estética!

Vizcaya

Las montañas de mi tierra
en el mar se miran,
y los robles que las visten
salina respiran.

De mi tierra el mar bravío   5
briza a las montañas,
y ellas se duermen sintiendo
mar en las entrañas.

¡Oh mi Vizcaya marina
tierra montañesa,   10
besan al cielo tus cumbres
y el mar te besa!

Tu hondo mar y tus montañas
llevo yo en mí mismo,
copa me diste en los cielos   15
raíz en el abismo.

* Traducción italiana de Gerardo Marone (1917) y francesa de M. Pomès
(1938).

EN LA BASÍLICA*
DEL SEÑOR SANTIAGO DE BILBAO

El martes de Semana Santa, 10 de abril de 1906

Entré llevando lacerado el pecho,
convertido en un lago de tormenta,
entré como quien anda y no camina
como un sonámbulo;

entré fuera de mí y de tus rincones   5
brotó mi alma de entonces y a cantarme
tus piedras se pusieron mis recuerdos
de anhelos íntimos.

Bajaron compasivas de tus bóvedas
las oraciones de mi infancia lenta   10
que allí anidaran y en silencio a mi alma
toda ciñéronla.

Aquí soñé de niño, aquí su imagen
debajo de la imagen de la Virgen
me alumbró el corazón cuando se abría   15
del mundo al tráfago.

Aquí soñé mis sueños de la infancia,
de santidad y de ambición tejidos,
el trono y el altar, el yermo austero,
la plaza pública.   20

Soñé sueños de gloria, ya terrena,
ya celestial, en tanto que sus ojos
mi ambición amansaban y encendían
amonestándome.

---

* Las nueve últimas estrofas fueron traducidas al francés por L. Stinglamer
(1953).

122

Aquí lloré las lágrimas más dulces   25
más limpias y fecundas, las que brotan
del corazón que cuando en sí no coje
        revienta en lágrimas.

Aquí anhelé el anhelo que se ignora,
aquí el hambre de Dios sentí primero,   30
aquí bajo tus piedras confidentes
        alas brotáronme.

Aquí el misterio me envolvió del mundo
cuando a la lumbre eterna abrí mis ojos
y aquí es donde primero me he sentido   35
        sólo en el páramo.

Aquí en el Ángel de tu viejo claustro
me hacían meditar a la lectura
de un Kempis que leía en voz gangosa
        un pobre clérigo.   40

Nadie le oía y al austero hechizo
del zumbar monótono del armonio
que nos mecía el alma, cada uno
        le daba pábulo.

Y brizado en el canto, como el niño   45
Moisés del Nilo en las serenas aguas
a ser padre del pueblo iba en su cuna
        durmiendo plácido,

dormido en las armónicas corrientes
cruzaba los desiertos de la Esfinge   50
en su cuna y en pos de su destino
        mi pobre espíritu.

Aquí bajo tus piedras que adurmieron
los pesares de cien generaciones
de hijos de este Bilbao de mis entrañas   55
        gusté al Paráclito.

Aquí lloraron ellos, en sus luchas
revueltas, suplicaron en los días
en que a tus puertas derramaban sangre
    de rabia lívidos.   60

Este su asilo fuera en las candentes
peleas de los bandos y el empuje
de sus oleadas de pasión rompía
    contra tu pórtico.

Madre de la Piedad, dulce patrona,   65
llorando aquí vinieron a pedirte
pidieras al Señor dura venganza
    viudas y huérfanos.

Y venganza clamaban contemplando
sobre el altar, en su corcel brioso,   70
al Apóstol blandir, del Trueno Hijo,
    su espada fúlgida.

Aquí en torno de ti, en las *machinadas*[1]
ugió la aldeanería sus rencores,
mientras, isla, te alzabas por encima   75
    del mar de cóleras.

Aquí bajo el silencio de tus piedras
mientras la nieve se fundía en sangre
siguió a la noche triste de Luchana
    Tedeum de júbilo[2].   80

---

[1] Para los que no conozcan ni Bilbao ni su historia, he de decir que se conoce con el nombre de *machinadas* ciertas revueltas populares en que los al-
deanos de los alrededores de Bilbao entraron tumultuosamente, y en son de
contienda, en la villa. *(N. del A.)*

[2] No hay que recordar a todo español versado en la historia Patria, que la
noche de Navidad de 1836 fue libertado Bilbao del asedio carlista, después
de la batalla de Luchana, en que se peleó entre una tormenta de nieve, y que
el sitio que sufrió la villa en la segunda guerra civil terminó el 2 de mayo
de 1874. *(N. del A.)*

Y aquí más tarde cuando ya mi mente
se abría al mundo, resonó de nuevo
al verte libre en alborear de Mayo,
        la gloria cívica.

Aquí mientras cruzaba el mar el buque   85
del mercader, trayendo la fortuna,
venía él a pedir propicios vientos
        para su tráfico.

Y aquí han llorado muchos su ruina
y aquí han venido, oh Madre dolorosa,   90
a preguntarte el pan para sus hijos
        dónde buscárselo.

Aquí bajo tus piedras confidentes
mientras el cielo en lluvia se vertía,
vertieron en secreto sus pesares   95
        tus hijos míseros.

Tú sabes los dolores que murieron,
tú las tragedias que tragó la tumba,
en ti de mi Bilbao duerme la historia
        sueño enigmático.   100

Y hoy al entrar en ti siento en mi pecho
luchas de bandos y civiles guerras,
y con rabia de hermanos se desgarran
        en mí mis ímpetus.

Y la congoja el corazón me oprime   105
al ver cómo al bajel de mi tesoro
lo envuelve la galerna mientras cruza
        de Dios el piélago.

Oh, mi Bilbao, tu vida tormentosa
la he recojido yo, tus banderizos   110

junto a tus mercaderes en mi alma
viven sus vértigos.

Dentro en mi corazón luchan los bandos
y dentro de él me roe la congoja
de no saber dónde hallará mañana   115
su pan mi espíritu.

Vives en mí, Bilbao de mis ensueños,
sufres en mí, mi villa tormentosa,
tú me hiciste en tu fragua de dolores
y de ansias ávidas.   120

Como tu cielo es el de mi alma triste
y en él llueve tristeza a fino orvallo,
y como tú entre férreas montañas,
sueño agitándome.

Y no encuentro salida a mis anhelos   125
sino hacia el mar que azotan las galernas
donde el pobre bajel de mi tesoro
zozobra náufrago.

Por eso vengo a ti, santa basílica,
que al corazón gigante de mi pueblo   130
diste para aplacarle de tus naves
la calma gótica.

Yo soy mi pueblo, templo venerando,
aplaca mis congojas, adormece
este sufrir, para que así consiga   135
seguir sufriéndolo.

Hazlo y te juro yo con mis dolores
levantar a mi pueblo por los siglos
donde sus almas tormentosas canten
otra basílica.   140

Y tal vez, cuando tú rendida entregues
tus piedras seculares a mi tierra,
la altiva flecha de mi templo entone[3]
    tus glorias últimas.

---

[3] La última estrofa, en su tercer verso leía *entorne* en la edición de *Poesías*, pero don Miguel en *Teresa* (1924) habló de corregir el texto, «si después que yo me muera algún cuervo investigador desentierra mi libro *Poesías* (1907)».

LAS MAGNOLIAS DE LA PLAZA NUEVA
DE BILBAO*

¡Mi Plaza Nueva, fría y uniforme,
cuadrado patio de que el arte escapa
mi Plaza Nueva puritana y hosca
    tan geométrica!

Tus soportales fueron el abrigo   5
de mis vagas visiones juveniles,
mientras el cuadro de tu pardo cielo
    llovía lúgubre.

En ti a la edad en que el imberbe mozo
ternuras rima, yo en mi mente ansiosa   10
con abstrusos conceptos erigía
    severa fábrica.

Dando vueltas en ti, nunca lo olvido,
discutía del todo y de la nada,
del principio primero de las cosas   15
    y del fin último.

Entre tus casas orvallaba triste
como si al mundo el cielo aleccionase;
era tu cielo un cielo, hoy lo comprendo,
    muy metafísico.   20

En torno a aquel estanque de las ranas[1]
de metal vomitando el agua a chorros

_____

* La fecha, no es segura; 1906 fue propuesta por García Blanco con razones respetables *(MUP,* pág. 76).

[1] Las magnolias fueron mutiladas y las ranas retiradas. Don Miguel evoca un pasado nostálgico el 1 de octubre de 1907: «Desde que talaron las magnolias de la Plaza Nueva y quitaron aquellas ranas de hierro que vomitaban

se alzaban desterradas las magnolias
soñando a América.

Llegaba primavera con sus flores   25
y el perfume, recuerdo de la selva,
a embalsamar el patio despedían
las blancas ánforas.

Tiritando las pobres bajo el terco
orvallo, con los trinos se adormían   30
que entre el verdor de su follaje alzaban
cientos de pájaros.

Así, bajo el tedioso *sirimiri*[2]
que hizo en mi alma caer la parda lógica
florecieron magnolias que soñaban   35
la patria mística.

Y me dieron perfumes de la selva
nunca hollada, y los pájaros celestes
bajaron a cantarme en su verdura
de amores trémulos.   40

Mi Plaza Nueva, fría y uniforme,
cuadrado patio de que el arte escapa,
mi Plaza Nueva, puritana y hosca,
¡mi metafísica!

[1906]

agua al estanque, mi Bilbao se me está recogiendo en el recinto del corazón.»
«Rousseau en Iturrigorri», en *Mi vida y otros recuerdos personales*. I (1889-1916), recopilación y prólogo de Manuel García Blanco, Buenos Aires, 1959, página 103).
  [2] Se llama en Bilbao *sirimiri* a lo que en Asturias *orvallo* —voz admitida
ya— y en otras partes *calabobos,* a la llovizna. *(N. del A.)*

Árbol solitario
se alza en campo yermo,
desafía las iras
del rayo del cielo.
La tormenta cuajó y suelto el rayo   5
tronchó del árbol el robusto tronco,
¡ay del árbol solo
que en un campo yermo
desafía las iras
del rayo que es ciego!   10

[h. 1884]

* Traducción de G. Marone al italiano (1917). La fecha en *MUP*, págs. 12-13. *El árbol solitario* es el famoso roble de Guernica. Para las variantes que hay en dos ediciones del poema ténganse en cuenta las líneas de García Blanco *(op. cit.,* pág. 13). Es el poema más antiguo de los que se conservan de don Miguel. Unamuno ha contado cómo bajo este árbol se prometió con su mujer *(vid. EUM,* pág. 58).

Cantos

A LA LIBERTAD*

«¡Libertad! ¡Libertad!» sonó en los cielos
mas no en el seno oscuro de la Tierra,
cayéronsele al siervo las esposas,
    rotas no, sino sueltas.

De las manos cayéronle, y del suelo   5
la Ley las recojió, piadosa y seria,
le ató los pies con ellas, hechas grillos,
    y quedó satisfecha.

Mientras no suene el grito en lo profundo
del seno inviolado de la Tierra,   10
andarás, Libertad, tú por los cielos
    y tu esclavo a la gleba.

Libertad, Libertad, si quieres libres
a tus esclavos, date tú por presa,
baja del cielo y de la pobre Madre   15
    en las entrañas entra.

Mientras la Tierra cotos sufra y vallas,
y los campos de Dios sean dehesa
irán sus hijos con las manos libres
    y arrastrando cadenas.   20

Baja del cielo, Libertad sagrada,
hazte carne en el seno de la Tierra,
y entre dolor y sangre un día hermoso
    nos nacerás entera.

---

* Traducción holandesa de G. J. Geers (1953). La poesía está fechada por García Blanco *(MUP,* 101 102), que hizo el cotejo entre un autógrafo de 1906 y la edición un año posterior.

Ven, redentora, fuente de esperanzas,   25
la pobre Madre con afán te espera,
ven, hinche pronto su regazo santo
    y tráenos vida nueva.

Día de redención, de amor, de gloria,
será el día del parto, en primavera,   30
y de sangre y dolor, de sol y vida,
    cuando tú te hagas nuestra.

¡Baja del cielo, Libertad sublime,
y humillándote al mundo hazte terrena,
rompe los grillos del derecho infame,   35
    y ensánchanos la Tierra!

[1906]

LA FLOR TRONCHADA*

    Como a la tierra con el corvo arado
así el seno a la humana compañía
desgarrad sin flaqueza abriendo surcos,
aunque tronchadas las heridas flores
caigan a la honda huesa   5
y allí, podridas, sirvan para abono,
o de alimento al roedor gusano
que carcome raicillas ignorante
de que al dejar la cárcel del invierno   10
vida de amor le espera y luz celeste.
Revolved los terrones, soterrando
los que gozan del sol, en las tinieblas,
y a recibir el beso de la brisa
a su vez suban los que están sepultos   15
de la tierra en los senos más ocultos.
    Cuando concluye el labrador cansado
de remover la tierra,
el grano siembra y lo confía al cielo,
al sol benigno y a la rica lluvia.   20
Así, cuando sus senos desgarrados
muestre y el flanco herido
la compañía humana
sembrad semillas de la Idea en ella
y brotarán lozanas.   25
Las que echéis en el campo apelmazado
de la ordenada sociedad tranquila
se pudren infecundas,
o prenden solitarias
para morir a la ardorosa lumbre   30

---

* García Blanco ha recogido muy valiosa información sobre este texto. Sus páginas sirven tanto para conocer la génesis del poema cuanto para conocer las variantes que hay entre las redacciones de *Revista Nueva* (donde se publicó en 1899) y las *Poesías*, de 1907 *(vid. MUP*, págs. 15-21).

135

que da la muerte, como da la vida,
o son pasto de pájaros glotones,
los que viven del grano
que sembró con afán ajena mano.
    La simiente en los surcos derramada   35
será pronto regalo de la vista,
lago ondulante de verdura fresca,
salpicado de rojas amapolas
en que la brisa resbalando suave
templa del sol la agostadora huella.   40
Dora la espiga cuando su hora viene,
cuaja su jugo en apretado grano,
siégalo la guadaña
y triturado en el molar de piedra
nos da la flor del pan.   45
Polvo también de sustanciosa harina
las granadas ideas han de darnos
cuando tras siega de cortante estudio
desde el campo sereno en que nacieron
las lleven al molino fragoroso,   50
de encendidas pasiones populares
para heñidas más luego
con el agrio fermento en pan se yelden[1],
con el fermento de la fe robusta
en pan vivificante.   55
La idea aprisionada dentro el vaso
de cascabillo lógico
no da al pueblo alimento
que en la lucha le sirva de sustento.
    Cuando en el campo en que la mies ondea   60
al descansar de la labor fecunda
partáis el pan de vida,

---

[1] En estas dos composiciones (la actual y *En el desierto*) se lee el verbo *yeldarse*, corriente en esta región en que habito, así como el adjetivo *yeldo*. Significan aquél «cuajarse, endurecerse una masa blanda, y sobre todo el pan» y éste «cuajado, duro». Parecen provenir de un *gelidu* formado de *gelu*, hielo. *(N. del A.)* Más tarde rectificó el étimo y propuso el correcto *levitu* (cfr. *O. C.*, XIII, págs. 268-269). García Blanco transcribió *por el agrio*, sin apoyo en ninguna variante.

manjar que nos preparan de consuno
naturaleza y arte,
alzadlo hacia la bóveda serena   65
de aire vital henchida,
cual en liturgia de piadoso afecto,
y rebosando el corazón confianza
bendecid al Señor;
al Padre que el sustento nos regala,   70
al Padre que el espíritu nos riega
con agua de piedad y de consuelo;
bendecid al Señor
que reparte la lluvia y el pedrisco,
rocíos y tormentas   75
tibio fomento o pertinaz sequía;
bendecid al Señor,
de piedad misteriosa eterna Fuente
que hartura y escasez nos distribuye,
segador de los hombres   80
para en sus trojes cosechar las almas[2]
cuando a sazón alcancen,
y en luchas y trabajos bien cernida
sacar simiente de más honda vida.

Allá en el alto cielo donde cuajan   85
como nubes los dones
que al impío le llueven
lo mismo que al piadoso,
nuestra pobre piedad no tiene asiento
ni llega la justicia de los hombres.   90
Justicia y compasión allí son uno,
alta justicia eterna,
misterio santo de insondable fondo.
Acatadlo con fe sincera y limpia,
y cuando abráis los surcos con la reja   95
revolviendo a los hombres,
al quebrantar su apelmazado enlace,

---

[2] Mi transcripción está de acuerdo con todas las variantes: no tiene fundamento la de *O. C.*, XIII, pág. 269.

poneos en la mano omnipotente,
del Padre del Amor, Sol de las almas
que destruyendo crea   100
y creando destruye,
Labrador Soberano de los mundos
que lleva la mancera del Destino,
de la Justicia eterna
que tritura cual muela poderosa   105
el orden que los hombres proclamados
sirviendo al misterioso ordenamiento
que nos tiene celado su cimiento.
    Lucha es la vida y el arado es arma,
arma la reja de la odiada idea.   110
Para luchar, por tanto con porfía,
sin odio y sin blandura,
compadeciendo el daño que causemos
tronchando flores al abrir el surco,
te pedimos nos des con mano pródiga   115
Fe, Esperanza y Amor,
¡oh Padre del Amor, Sol de las almas,
Labrador Soberano de los mundos
que llevas la mancera del Destino,
que destruyendo creas   120
y creando destruyes
y trituras cual muela poderosa
el orden que los hombres proclamamos!
¡Amor para luchar, Sol de las almas,
acoje a los que al surco caen tronchados   125
muertos en flor, sin haber dado fruto,
y danos para abrirlo valentía,
Labrador Soberano de los mundos!
¡Que amemos al vencido
venciéndole en la lucha con amor!   130
¡Que al morir desgarrada por mi reja
la pobre flor del campo,
el perfume que espira
y con que aroma el hierro que la hiere
de piedad fraternal me llene el alma;   135
que se asiente serena nuestra lucha,

cual un deber de vida,
sobre conciencia de rencor purgada,
sobre lecho de paz!
Tú, Señor, asentaste   140
los giros y revueltas de los orbes
sobre quietud robusta;
diste la eternidad por fundamento
al incesante curso de las horas,
el silencio solemne   145
a los serenos ecos y fragores[3]
con que el aire resuena,
e hiciste a las tinieblas
dormido mar sin fondo y sin orillas
sobre que ruedan de tu luz las olas.   150
Tú, Señor Soberano,
Padre eterno de Amor, Sol de las almas,
con los choques discordes
de la lucha tenaz por la existencia
entretejes la trama   155
de la armonía cósmica,
calma sacando de agitado curso,
silencio del fragor de la pelea,
eternidad del fugitivo tiempo.
¡Amor, eterno Amor,   160
danos fecundo amor hacia el vencido,
únenos en la lucha en los contrarios[4]
asentando en la paz nuestras batallas,
batallas de la paz!
Que rendidos en tierra,   165
al morir bendigamos nuestra suerte;
que del empeño mismo del combate
brote la compasión del combatiente[5];
que aceptemos cual ley de la conciencia
tu altísimo mandato   170

---

[3] García Blanco sigue la versión de 1899 donde se lee *sonoros* por *serenos*.
[4] La lectura —totalmente discrepante de las *O. C.*— no tiene ningún apoyo ni en la edición, ni en las variantes de *MUP*, pág. 21.
[5] Para la lectura de las *O. C., vid.* la nota al verso 145.

de pelear sin tregua ni reposo,
elevando, viriles, el destino
a íntima libertad de orden divino.
　　Acoje nuestros ruegos,
Padre de eterno Amor, Sol de las almas,　　175
origen primordial de la contienda
que a los orbes sostiene y vivifica,
de la empeñada lucha
que en alta paz culmina,
así como de paz también arranca,　　180
¡Labrador Soberano de los mundos
que llevas la mancera del Destino,
Segador incansable de las almas,
que en la criba de luchas y trabajos
entresacas, Señor,　　185
de una mies de sustancia corrompida
rica simiente de más honda vida,
vida de eterno Amor!

[1899]

AL SUEÑO*

¡Dueño amoroso y fuerte,
en los reveses de la ciega suerte
y en los combates del amor abrigo,
del albedrío dueño,
del alma enferma cariñoso amigo,   5
fiel y discreto sueño!
Eres tú de la paz eterna y honda
del último reposo
el apóstol errante y misterioso
que en torno nuestro ronda   10
y que nos mete al alma
cuando luchando por vivir padece,
la dulce y santa calma
que a la par que la aquieta la enardece.
Al débil das escudo,   15
robusto y bien ceñido
para el combate rudo,
¡el escudo compacto del olvido!
Fortificas al fuerte
dando a su vida fuerzas de la muerte.   20
Tú con tierno cariño
nos meces en tu seno
como la madre al niño,
cantándonos canciones
con suave ritmo de caricias lleno,   25
y cuando llega tu hora,
jadeantes se tienden las pasiones
a dormir a tu sombra bienhechora.

---

* El poema fue incluido por Valera en su *Florilegio de poesías castellanas del siglo XIX*, Madrid, 1904, t. IV, 348-352. Traducida al inglés por E. Turnbull (1952).

Hay variantes entre los textos de la *Revista Contemporánea* (donde se publicó en 1899) y el de *Poesías (MUP*, pág. 14).

En tu divina escuela,
neta y desnuda y sin extraño adorno   30
la verdad se revela,
paz derramando en torno;
al oscuro calor de tu regazo,
contenta y recojida,
como el ave en su nido,   35
libre de ajeno lazo,
desnuda alienta la callada vida
acurrucada en recatado olvido,
lejos del mundo de la luz y el ruido,
lejos de su tumulto   40
que poco a poco el alma nos agota,
en el rincón oculto
en que la fuente de la calma brota.

De tu apartado hogar en el asilo
como una madre tierna   45
da en su pecho tranquilo
al hijo dulce leche nutritiva,
tú nos das la verdad eterna y viva
que nos sostiene el alma,
la alta verdad augusta,   50
la fuente de la calma
que nos consuela de la adversa suerte,
la fe viva y robusta
de que la vida vive de la muerte.

Cuando al que sirve sin rencor ni dolo   55
del ideal en el combate duro
puesta la vista en el confín futuro,
a la verdad tan sólo,
le dejan solo en la tenaz porfía,
tú no le dejas,   60
tú le sirves de atenta compañía,
tú con voz silenciosa le aconsejas,
y en horas de tristeza
le das tu soledad por fortaleza.

Cual se lanzan ruidosos los torrentes   65
de escarpadas montañas
por abruptas vertientes

a descansar del lago en las entrañas
donde en mullido lecho
los despojos que arrastran de desecho   70
son de vidas innúmeras la cuna,
así nuestras pasiones
arrastran a tu lecho, sueño manso,
perdidas ilusiones
que a favor del remanso   75
entretejen en ti una isla vaga,
isla de libertad y de descanso,
retiro de la maga
soberana señora fantasía
que da cuerpo y figura   80
a cuanto el pecho ansía,
sacando de tu hondura
en la dulce visión sin consistencia,
consuelo de la mísera existencia.
Eres el lago silencioso y hondo   85
de reposada orilla,
el lago en cuyo fondo
descansa del desgaste el sedimento,
donde toda mancilla
se purga a curso lento   90
y en que por magia de sutil mudanza
se convierte en recuerdo la esperanza.
    Cuando se acuesta el sol en el ocaso
deja tras su carrera
vibrando luminoso en la alta esfera   95
el áureo polvo de su augusto paso,
polvo que lento posa
en las faldas oscuras
de la noche callada y tenebrosa;
y allá por las alturas   100
del infinito, abriéndose encendida
la creación augusta se revela
en campo sin medida
que con engaño el sol de día cela
al mostrarnos cual sólida techumbre   105
que a nuestro mundo encierra

el insondable mar del firmamento
en que esta pobre tierra
se pierde en la infinita muchedumbre
de los mundos sin cuento.   110
Al disiparse así en tu regazo
el sol de la vigilia engañadora
¡oh sueño, mar sin fondo y sin orilla!
mundos sin cuento surgen de tu seno
en que palpita y brilla   115
la creación del alma soñadora,
en campo tan sereno
cual el del cielo en noche recojida
que a la oración convida,
y brotan a lo lejos   120
de remotas estrellas ideales
los pálidos reflejos,
envolviéndose en magia soberana
el fondo eterno de la vida humana.
      ¡Dueño amoroso y fuerte   125
en los reveses de la ciega suerte,
y en los combates del amor abrigo,
del albedrío dueño,
del alma enferma cariñoso amigo,
fiel y discreto sueño!,   130
acójenos con paz entre tus brazos,
rompe con puño fuerte,
del sentido los lazos,
¡apóstol de la muerte,
pon tu mano intangible y redentora   135
sobre el pecho que llora,
y danos a beber en tu bebida
remedio contra el sueño de la vida!

Salmos

A Mr. Everett Ward Olmsted.
Mi amigo

SALMO I*

Éxodo, XXXIII, 20

Señor, Señor, ¿por qué consientes
que te nieguen ateos?
¿Por qué, Señor, no te nos muestras
Sin velos, sin engaños?
¿Por qué, Señor, nos dejas en la duda,   5
duda de muerte?
¿Por qué te escondes?
¿Por qué encendiste en nuestro pecho el ansia
de conocerte,
el ansia de que existas,   10
para velarte así a nuestras miradas?
¿Dónde estás, mi Señor; acaso existes?
¿Eres tú creación de mi congoja,
o lo soy tuya?
¿Por qué, Señor, nos dejas   15
vagar sin rumbo
buscando nuestro objeto?
¿Por qué hiciste la vida?
¿Qué significa todo, qué sentido
tienen los seres?   20
¿Cómo del poso eterno de las lágrimas,
del mar de las angustias,
de la herencia de penas y tormentos
no has despertado?
Señor, ¿por qué no existes?,   25

---

* Cfr. Manuel Alvar, «El problema de la fe en Unamuno. (La anti-in-fluencia de Richepin)», *apud Estudios y ensayos*, ya citados, págs. 139-159; Carlos Blanco Aguinaga, *El Unamuno contemplativo*, México, 1959, págs. 17-82; José Ricardo Morales, «Don Miguel de Unamuno, persona dramática», en *Unamuno*, Universidad de Chile, 1964, págs. 39-53; Ignacio R. M. Galbic, *Unamuno: tres personajes existencialistas*, Barcelona, 1975.

¿dónde te escondes?
Te buscamos y te hurtas,
te llamamos y callas,
te queremos y Tú, Señor, no quieres
decir: ¡vedme, mis hijos!   30
Una señal, Señor, una tan sólo,
una que acabe
con todos los ateos de la tierra;
una que dé sentido
a esta sombría vida que arrastramos.   35
¿Qué hay más allá, Señor, de nuestra vida?
Si Tú, Señor, existes,
di por qué y para qué, ¡di tu sentido!
¡di por qué todo!
¿No pudo bien no haber habido nada   40
ni Tú, ni mundo?
Di el por qué del por qué, ¡Dios de silencio!
Está en el aire todo,
no hay cimiento ninguno
y todo vanidad de vanidades.   45
«Coje el día» nos dice
con mundano saber aquel romano
que buscó la virtud fuera de extremos,
medianía dorada
e ir viviendo... ¿qué vida?   50
«¡Coje el día!» y nos coje
ese día a nosotros,
y así esclavos del tiempo nos rendimos.
¿Tú, Señor, nos hiciste
para que a ti te hagamos,   55
o es que te hacemos
para que Tú nos hagas?
¿Dónde está el suelo firme, dónde?
¿Dónde la roca de la vida, dónde?
¿Dónde está lo absoluto?   60
¡Lo absoluto, lo suelto, lo sin traba
no ha de entrabarse
ni al corazón ni a la cabeza nuestras!
Pero... ¿es que existe?

¿Dónde hallaré sosiego?   65
¿Dónde descanso?
¡Fantasma de mi pecho dolorido;
proyección de mi espíritu al remoto
más allá de las últimas estrellas;
mi yo infinito;   70
sustanciación del eternal anhelo;
sueño de la congoja;
Padre, Hijo del alma;
oh, Tú, a quien negamos afirmando
y negando afirmamos,   75
dinos si eres!
¡Quiero verte, Señor, y morir luego,
morir del todo;
pero verte, Señor, verte la cara,
saber que eres!   80
¡Saber que vives!
¡Mírame con tus ojos,
ojos que abrasan;
mírame y que te vea!
¡Que te vea, Señor, y morir luego!   85
Si hay un Dios de los hombres,
el más allá, ¿qué nos importa, hermanos?
¡Morir para que Él viva,
para que Él sea!
Pero, Señor, «¡yo soy!» dinos tan sólo,   90
dinos «¡yo soy!» para que en paz muramos,
¡no en soledad terrible,
sino en tus brazos!
Pero dinos que eres,
¡sácanos de la duda   95
que mata al alma!
Del Sinaí desgarra las tinieblas
y enciende nuestos rostros
como a Moisés el rostro le encendiste;
baja, Señor, a nuestro tabernáculo,   100
rompe la nube,
desparrama tu gloria por el mundo
y en ella nos anega;

¡que muramos, Señor, de ver tu cara,
de haberte visto!   105
«Quien a Dios ve se muere»,
dicen que has dicho Tú, Dios de silencio;
¡que muramos de verte
y luego haz de nosotros lo que quieras!
¡Mira, Señor, que va a rayar el alba   110
y estoy cansado de luchar contigo
como Jacob lo estuvo!
¡Dime tu nombre!,
¡tu nombre, que es tu esencia!,
¡dame consuelo!,   115
¡dime que eres!
¡Dame, Señor, tu Espíritu divino,
para que al fin te vea!
El espíritu todo lo escudriña
aun de Dios lo profundo.   120
Tú sólo te conoces,
Tú sólo sabes que eres.
Decir «¡yo soy!» ¿quién puede a boca llena
si no Tú solo?
Dinos «¡Yo soy», Señor, que te lo oigamos,   125
sin velo de misterio,
¡sin enigma ninguno!
Razón del Universo, ¿dónde habitas?
¿por qué sufrimos?
¿por qué nacemos?   130
Ya de tanto buscarte
perdimos el camino de la vida,
el que a ti lleva
si es, oh mi Dios, que vives.
Erramos sin ventura   135
sin sosiego y sin norte,
perdidos en un nudo de tinieblas,
con los pies destrozados,
manando sangre,
desfallecido el pecho,   140
y en él el corazón pidiendo muerte.
Ve, ya no puedo más, de aquí no paso,

de aquí no sigo[1],
yo ya no puedo más, ¡oh Dios sin nombre!
Ya no te busco,   145
ya no puedo moverme, estoy rendido;
aquí, Señor, te espero,
aquí te aguardo,
en el umbral tendido de la puerta
cerrada con tu llave.   150
Yo te llamé, grité, lloré afligido,
te di mil voces;
llamé y no abriste,
no abriste a mi agonía,
aquí, Señor, me quedo,   155
sentado en el umbral como un mendigo
que aguarda una limosna;
aquí te aguardo.
Tú me abrirás la puerta cuando muera,
la puerta de la muerte,   160
y entonces la verdad veré de lleno,
sabré si Tú eres
o dormiré en tu tumba.

[1906]

---

[1] Tras este verso, García Blanco incluye otro que ignoro de dónde pueda proceder, pues en *MUP* (pág. 84) dice que no se conservan variantes del poema. En *O. C.*, XIII, pág. 68, tampoco hay ninguna indicación.

SALMO II*

Marcos, IX, 16-24

Fe soberbia, impía,
la que no duda,
la que encadena Dios a nuestra idea.
«Dios te habla por mi boca»,
dicen, impíos,   5
y sienten en su pecho:
«¡por boca de Dios te hablo!»
No te ama, oh Verdad, quien nunca duda,
quien piensa poseerte,
porque eres infinita y en nosotros,   10
Verdad, no cabes.
Eres, Verdad, la muerte;
muere la pobre mente al recibirte.
Eres la Muerte hermosa,
eres la eterna Muerte,   15
el descanso final, santo reposo;
en ti el pensar se duerme.
Buscando la verdad va el pensamiento,
y él no es si no la busca;
si al fin la encuentra,   20
se para y duerme.
La vida es duda,
y la fe sin la duda es sólo muerte.
Y es la muerte el sustento de la vida,
y de la fe la duda.   25
Mientras viva, Señor, la duda dame,
fe pura cuando muera;
la vida dame en vida

---

* Traducción de M. Pomès, al francés (1938 y 1957) y de E. Turnbull, al inglés (1952).

y en la muerte, la muerte,
dame, Señor, la muerte con la vida.   30
Tú eres el que eres,
si yo te conociera
dejaría de ser quien soy ahora,
y en ti me fundiría[1],
siendo Dios como Tú, Verdad suprema.   35
Dame vivir en vida,
dame morir en muerte,
dame en la fe dudar, en tanto viva,
dame la pura fe luego que muera.
Lejos de mí el impío pensamiento   40
de tener tu verdad aquí en la vida,
pues sólo es tuyo
quien confiesa, Señor, no conocerte.
Lejos de mí, Señor, el pensamiento
de enterrarte en la idea,   45
la impiedad de querer con raciocinios
demostrar tu existencia.
Yo te siento, Señor, no te conozco,
tu Espíritu me envuelve,
si conozco contigo,   50
si eres la luz de mi conocimiento
¿cómo he de conocerte, Inconocible?
La luz por la que vemos
es invisible.
Creo, Señor, en ti, sin conocerte.   55
Mira que de mi espíritu los hijos,
de un espíritu mudo viven presos,
libértalos, Señor, que caen rodando
en fuego y agua;
libértalos, que creo,   60
creo, confío en Ti, señor; ayuda
mi desconfianza.

---

[1] García Blanco: *en ti,* pero mi lectura es la de la primera edición.

SALMO III*

Oh, Señor, tú que sufres del mundo
   sujeto a tu obra,
es tu mal nuestro mal más profundo
   y nuestra zozobra.

Necesitas uncirle al finito[1]   5
   si quieres hablarme,
y si quieres te llegue mi grito
   te es fuerza escucharme.

Es tu amor el que tanto te obliga
   bajarte hasta el hombre,   10
y a tu Esencia mi boca le diga
   cuál sea tu nombre.

Te es forzoso rasgarte el abismo[2]
   si mío ser quieres,
y si quieres vivir en ti mismo   15
   ya mío no eres.

Al crearnos tu servicio
   buscas libertad,
sacudirte del recio suplicio
   de la eternidad.   20

Si he de ser, como quieres, figura
   y flor de tu gloria,

---

* Traducido al inglés (Turnbull, 1952) y al holandés (Vries, 1953). Para la
fecha, *vid. MUP*, págs. 81-82.

[1] *Finito* es lectura —convincente— que da García Blanco, frente al *infinito*
de la primera edición.

[2] *al abismo* en *O. C.*, XIII, pág. 289, pero no se indica justificación para tal
lectura.

¡hazte, oh Tú Creador, criatura
        rendido a la historia!

Libre ya de tu cerco divino   25
        por nosotros estás,
sin nosotros sería tu sino
        o siempre o jamás.

Por gustar, oh Impasible, la pena
        quisiste penar,   30
te faltaba el dolor que enajena[3]
        para más gozar.

Y probaste el sufrir y sufriste
        vil muerte en la cruz,
y al espejo del hombre te viste   35
        bajo nueva luz.

Y al sentirte anhelar bajo el yugo
        del eterno amor,
nos da al Padre y nos mata al verdugo
        el común Dolor.   40

Si has de ser, oh mi Dios, un Dios vivo
        y no idea pura,
obra te rinde cautivo
        de tu criatura.

Al crear, Creador, quedas preso   45
        de tu creación,
mas así te libertas del peso
        de tu corazón.

Son tu pan los humanos anhelos,
        es tu agua la fe,   50

---

[3] Sigo la lectura de García Blanco, que da regularidad al verso de la primera edición.

yo te mando, Señor, a los cielos
    con mi amor, mi sed.

Es la sed insaciable y ardiente
    de sólo verdad;
dame, oh Dios, a beber en la fuente   55
    de tu eternidad.

Méteme, Padre eterno, en tu pecho,
    misterioso hogar,
dormiré allí, pues vengo deshecho
    del duro bregar.   60

                          [1906]

LIBÉRTATE, SEÑOR*

Dime tú lo que quiero
que no lo sé...
Despoja a mis ansiones de su velo...
Descúbreme mi mar,
Mar de lo eterno...   5
Dime quién soy... dime quién soy... que vivo...
Revélame el misterio...
Descúbreme mi mar...
Ábreme mi tesoro,
¡mi tesoro, Señor!   10
¡Ciérrame los oídos
ciérramelos con tu palabra inmensa,
que no oiga los quejidos
de los pobres esclavos de la Tierra...!
¡Que al llegar sus murmullos a mi pecho,   15
al entrar en mi selva,
me rompen la quietud!

*

Tu palabra no muere, nunca muere...
porque no vive...
no muere tu palabra omnipotente,   20
porque es la vida misma,
y la vida no vive...
no vive... vivifica...
Tu palabra no muere..., nunca muere...
¡nunca puede morir!   25
Follaje de la vida,
raíces de la muerte...
¡eso son sus palabras nada más!

---

* Traducciones: italiana (Carlo Bo, 1949), inglesa (E. Turnbull, 1952) y
francesa, versos 66-92 (L. Stinglhamer, 1953).

Me llegan sus canciones al oído...
estribillos de moda...   30
¡cantan la libertad!
No canta libertad más que el esclavo;
el pobre esclavo,
el libre canta amor,
¡te canta a ti, Señor!   35
Que en mí cante tu selva,
¡selva de inmensidad!
Que en mí cante tu selva,
la virgen selva libre en que colgaste
al aire libre   40
mi nido del follaje...
¡Que en mí cante tu selva,
selva de inmensidad!
Allí en sus jaulas de oro
fuera del nido,   45
la cantinela en moda
repiten los esclavos... ¡pobrecillos!
¡Libérta-los!
¡Libérta-los, Señor!
Mira, Señor, que mi alma   50
jamás ha de ser libre
mientras quede algo esclavo
en el mundo que hiciste,
y mira que si al alma no libertas[1],
al alma en que Tú vives[2],   55
serás en ella esclavo,
¡Tú, Tú mismo, Señor!
¡Libérta-te!
¡Libérta-te, Señor!
¡Libérta-les,   60
átales con tu amor!
¡Libérta-te,
Libérta-te en tu amor!

---

[1] García Blanco, *el alma*.
[2] *Ídem.*

¡Libérta-me,
Libérta-me, Señor!   65

                        *

   No me muestres sendero
no me muestres camino;
no me lo muestres,
que no lo sigo...
Déjame descansar en tu reposo,   70
en el reposo vivo,
y en su dulce regazo,
en tu seno dormido,
¡guárda-me, Señor!
Guárdame tranquilo,   75
guárdame en tu mar,
mar del olvido...
mar de lo eterno...
¡guárda-me, Señor!
No me muestres camino,   80
no me muestres sendero,
que no lo sigo...
¡no puedo andar!
A las demás renuncio
si sigo una vereda...   85
quiero perderme,
perderme sin senderos en la selva,
selva de vida;
quiero tenerla abierta...
las sendas me la cierran...   90
guárda-me, ¡guárda-me, Señor!

                        *

   Callaron los esclavos...
están durmiendo...
callaron los esclavos...   95
en silencio te rezan sin saberlo...
mientras duermen te rezan,

                                                            159

es oración su sueño...
No los despiertes...
¡libérta-los,   100
libérta-los, Señor!
Áta-les con el sueño...
¡libérta-los,
libérta-los, Señor!
Mientras quede algo esclavo   105
no será mi alma libre,
ni Tú, Señor
ni Tú que en ella vives...
serás Tú mismo esclavo...
¡libérta-me,   110
libérta-me, Señor!
¡Libérta-te,
libérta-te, Señor!
¡Libérta-te!

LA HORA DE DIOS*

Es la hora de Dios, sobre la frente
del mundo se levanta silenciosa
la estrella del Destino derramando
    lumbre de vida.

Callan las cosas y en silencio anegan   5
las voces de los hombres que persiguen
sus afanes huyendo del misterio
    de Dios que calla.

Ya estás sola con Dios, alma afligida,
su silencio amoroso, que te escucha,   10
te dice: corazón, viértete todo,
    ¡vuelve a tu fuente!

¿Qué tienes que decirle? ¡Vamos, habla!
confiésate, confiésale tu angustia,
dile el dolor de ser ¡cosa terrible!   15
    Siempre tú mismo.

Oh, Señor, mi Señor, no, nunca, nunca;
¿qué es ante Ti verdad? ¿Cómo saberlo?
mejor que yo Tú me conoces, ¡sabes
    Tú mi congoja!   20

Si intentara mostrarte mis entrañas
mentiría, Señor, aun sin quererlo,
a tu silencio es el silencio sólo
    debida ofrenda.

---

* La fecha se deduce de una carta del profesor norteamericano Everett W. Olmsted, al que fueron dedicados Los Salmos de Poesías (MUP, pág. 83).

Soy culpable, Señor, no sé mi culpa; 25
soy miserable esclavo de mis obras;
no sé qué hacer de esta mi pobre vida;
¡tu voz espero!

Habla, Señor, rompa tu boca eterna
el sello del misterio con que callas, 30
dame señal, Señor, dame la mano,
¡dime el camino!

Voy perdido, Señor, ¿cómo encontrarme?
de tu mano el castigo es quien me enseña
que pequé, ¿mas en qué? ¿Dime en qué estriba, 35
Señor, mi culpa?

Soy culpable, lo sé, mas no conozco
la culpa que me aflige y a qué debo
este castigo tuyo que bendigo
por ser mi vida. 40

Merezco este dolor que como Padre
me mandas como a un hijo a quien deseas
hacer con los dolores todo un hombre,
todo hijo tuyo.

Acepto este dolor por merecido, 45
mi culpa reconozco, pero dime,
dime, Señor, Señor de vida y muerte,
¿cuál es mi culpa?

Sí, yo pequé, Señor, te lo confieso,
culpable tu castigo me revela, 50
mi vida sin sufrir ya no es mi vida,
mas... ¿por qué sufro?

Sufro el castigo de mi culpa y callo,
pero mira, Señor, ve cómo lloro;
de conocer la culpa del castigo 55
¡dame el consuelo!

¡Es tu hora, Señor, sobre la frente
del mundo se levanta silenciosa
la estrella del Destino derramando
        lumbre de vida!   60

                    [1906]

EN EL DESIERTO*

¡Casto amor de la vida solitaria,
rebusca encarnizada del misterio,
sumersión en la fuente de la vida,
    recio consuelo!

Apartaos de mí, pobres hermanos,   5
dejadme en el camino del desierto,
dejadme a solas con mi propio sino,
    sin compañero.

Quiero ir allí, a perderme en sus arenas
solo con Dios, sin casa y sin sendero,   10
sin árboles, ni flores, ni vivientes,
    los dos señeros.

En la tierra yo solo, solitario
Dios solo y solitario allá en el cielo
y entre los dos la inmensidad desnuda   15
    su alma tendiendo.

Le hablo allí sin testigos maliciosos[1],
a voz herida le hablo y en secreto,
y Él en secreto me oye y mis gemidos
    guarda en su pecho.   20

---

* Traducciones de E. Turnbull, al inglés (1952) y de L. Stinglhamer, al francés (1953, sólo nueve estrofas).

Para la fecha y variantes (redacciones de 1906 y 1907), *vid. MUP,* págs. 89-93, donde se encontrarán valiosos informes sobre la continua reelaboración del poema.

El 18 de noviembre de 1906, Unamuno envió a Maragall este poema en el que, dice, «puse mi emoción» *(EUM,* pág. 39). Ocho días después, el poeta catalán lo comentó con extraordinaria agudeza *(ibíd.,* pág. 41).

[1] En la impresión *habló,* pero debe corregirse, cfr. verso 18.

Me besa Dios con su infinita boca,
con su boca de amor que es toda fuego,
en la boca me besa y me la enciende
    toda en anhelo.

Y enardecido así me vuelvo a tierra,   25
me pongo con mis manos en el suelo
a escarbar las arenas abrasadas,
    sangran los dedos,

saltan las uñas, zarpas de codicia,
baña el sudor mis castigados miembros,   30
en las venas la sangre se me yelda,
    sed de agua siento,

de agua de Dios que el arenal esconde,
de agua de Dios que duerme en el desierto,
de agua que corre refrescante y clara   35
    bajo aquel suelo,

del agua oculta que la adusta arena
con amor guarda en el estéril seno,
de agua que aún lejos de la lumbre vive
    llena de cielo.   40

Y cuando un sorbo, manantial de vida,
me ha revivido el corazón y el seso,
alzo mi frente a Dios y de mis ojos
    en curso lento

al arenal dos lágrimas resbalan   45
que se las traga en el estéril seno,
y allí a juntarse con las aguas puras,
    llevan mi anhelo.

Quedad vosotros en las mansas tierras
que las aguas reciben desde el cielo,   50
que mientras llueve Dios su rostro en nubes
    vela severo.

Quedaos en los campos regalados
de árboles, flores, pájaros... os dejo
todo el regalo en que vivís hundidos
    y de Dios ciegos.

Dejadme solo y solitario, a solas
con mi Dios solitario, en el desierto;
me buscaré en sus aguas soterrañas
    recio consuelo.

[15-XI-1906]

Brizadoras

AL NIÑO ENFERMO*

Duerme, niño chiquito,
que viene el Coco,
a llevarse a los niños
que duermen poco.
POPULAR

Duerme, flor de mi vida,
    duerme tranquilo,
que es del dolor el sueño
    tu único asilo.

Duerme, mi pobre niño,   5
    goza sin duelo
lo que te da la Muerte
    como consuelo.

Como consuelo y prenda
    de su cariño,   10
de que te quiere mucho,
    mi pobre niño.

Pronto vendrá con ansia
    de recojerte
la que te quiere tanto,   15
    la dulce Muerte.

Dormirás en sus brazos
    el sueño eterno,
y para ti, mi niño,
    no habrá ya invierno.   20

---

* Traducida por I. Stinglhamer, al francés (1953).
Se cita el poema en una carta a Rubén, que tiene fecha del 8 de febrero de 1900 *(MUP,* pág. 37).

No habrá invierno ni nieve,
         mi flor tronchada,
te cantará en silencio
         dulce tonada.

Oh qué triste sonrisa   25
         riza tu boca...
tu corazón acaso
         su mano toca.

Oh qué sonrisa triste
         tu boca riza,   30
¿qué es lo que en sueños dices
         a tu nodriza?

A tu nodriza eterna
         siempre piadosa,
la Tierra en que en paz santa   35
         todo reposa.

Cuando el Sol se levante,
         mi pobre estrella,
derretida en el alba
         te irás con ella.   40

Morirás con la aurora,
         flor de la muerte,
te rechaza la vida,
         ¡qué hermosa suerte!

El sueño que no acaba   45
         duerme tranquilo,
que es del dolor la muerte
         tu único asilo.

[1900]

DUERME, ALMA MÍA*

Duerme, alma mía, duerme,
duerme y descansa,
duerme en la vieja cuna
de la esperanza[1];
    ¡duerme!   5

Mira, el Sol de la noche
padre del alba,
por debajo del mundo
durmiendo pasa[2];
    ¡duerme!   10

Duerme sin sobresaltos,
duerme mi alma;
puedes fiarte al sueño,
que estás en casa;
    ¡duerme!   15

En su seno sereno
fuente de calma,
reclina tu cabeza
si está cansada;
    ¡duerme!   20

Tú que la vida sufres
acongojada,
Sus Pies tu congoja
deja dejada;
    ¡duerme!   25

---

* Traducciones francesas (Pomès, 1938; Stinglhamer, 1953) e inglesa (Turnbull, 1952).

1 y 2 Están trocados en la edición de García Blanco.

Duerme, que Él con su mano
    que engendra y mata
cuna tu pobre cuna
    desvencijada;
        ¡duerme!   30

«Y si de este mi sueño
    no despertara...»
Esa congoja sólo
    durmiendo pasa;
        ¡duerme!   35

«Oh, en el fondo del sueño
    siento a la nada...»
Duerme, que de esos sueños
    el sueño sana;
        ¡duerme!   40

«Tiemblo ante el sueño lúgubre
    que nunca acaba...»
Duerme y no te acongojes
    que hay un mañana;
        ¡duerme!   45

Duerme, mi alma, duerme,
    rayará el alba,
duerme, mi alma, duerme;
    vendrá mañana;...
        ¡duerme!   50

                    *

Ya se durmió en la cuna
    de la esperanza...
se me durmió la triste...
    ¿habrá un mañana?
        ¿duerme?   55

                [1906]

Mientras tú estás despierta
tu alma duerme,
y se despierta tu alma
cuando te duermes.

Duerme, pues, vida mía,　　　　　5
—el sueño es leve—
duerme y tu alma en tanto
que se despierte.

A través de tus párpados
cuando te duermes,　　　　　10
veo cómo tus ojos
otra luz prenden.

A través de tu pecho,
cuando él se aduerme,
mi corazón al tuyo　　　　　15
volar le siente.

Con mis brazos por cuna
confía y duérmete,
que quiero ver tu alma
blanca cual nieve.　　　　　20

Duerme, duerme en mis brazos
que te defienden,
dame, dame tu alma
que me protege.

Mientras tú estás despierta　　　　　25
tu alma duerme,
y se despierta tu alma
cuando te duermes.
¡Duerme!

Meditaciones

EL BUITRE DE PROMETEO*

A la roca del mundo Prometeo
—que es de los hombres el mejor amigo—
con divinas cadenas
atado y preso,
se alimenta de penas,   5
y al buitre acariciando, su castigo,
al buitre Pensamiento, así le dice:

¿Qué me cuentas? ¿Qué viste allá en las nubes?
Tu cuello acariciando el vil tirano
¿le temblaba la mano?   10
¿Era más suave y blanda que esta mía...?
—¡Ay, ay, ay! que me arrancas el sentido,
¡quieto, quieto, despacio!
¡Déjame que te sienta, pues te sacio!
. . . .
Vamos, vamos, verdugo,   15
sumerge tu cabeza aquí, en mi seno,
y engulle mis entrañas
pero no alces el pico,
quedo aprende a comer, sin feas mañas,
ni así me lo sacudas, ¡te suplico!   20
No, no esos desgarrones,
come pausado, la cabeza hundida;
mira que esos tirones
me hacen desfallecer y no te siento,
¡dame un lento dolor, sordo, apacible,   25

* *Vid.* Manuel Alvar, *Unidad y evolución, op. cit.*, págs. 113-138. Para la fecha, *MUP*, págs. 108-109.

El 15 de febrero de 1907, Unamuno escribía a Maragall: «Estoy imprimiendo ya, en Bilbao, mi tomo de Poesías. Van bastantes que usted no conoce, entre ellas *El buitre de Prometeo* que estimo de las más mías. El buitre ese es el pensamiento.»

dame un dolor de vida, pensamiento!
. . . .
¡Quieto y pico a la presa!
¿Que mi sangre la vista te oscurece?
y ¿qué te importa?
¿No tienes que comer, fiera insaciable?   30
Según comes mi carne, ella se acrece.
. . . .
Dale, dale, mi buitre, sin cuidado;
no temas que me muera;
manjar tendrás en mí por largos siglos[1];
común es nuestra vida,   35
y en tanto me devores
se mantendrá mi vida con dolores.
No busques otro pasto,
mira, mi vida, cómo yo te basto.

Bajo tus picotazos las entrañas   40
muriendo me renacen de continuo;
cuando la muerte viene así, de cara,
sin vil disfraz ni engaño,
se puede combatirla;
lo malo es cuando viene de soslayo   45
cautelosa, tapada, y sin sentirla;
su violencia no temo, sí su dolo.
. . . .
Gracias a ti, mi buitre, no estoy solo;
tengo en ti compañero,
¡mi amigo y carnicero!,   50
la soledá es la nada;
el dolor de pensar es ya un remedio,
mejor tus picotazos que no el tedio...
. . . .
¿A dónde volver quieres la cabeza?
¿A ver tu patria, el cielo, por ventura?   55
¿Buscas leer de Júpiter la frente?[2]

---

[1] Doy la lectura correcta.
[2] A pesar de lo que se dice en *O. C.*, XIII, pág. 315, el verso figura en *Poesías*.

¿No te doy carne, carne hasta la hartura?
¿Buscas cobrar de su sonrisa brío?
Toma, toma y bebe mi sangre;
deja, deja al tirano, ¡eres ya mío!   60
. . . .
Y no has de leer su frente, el claro cielo,
pues el vaho de la sangre en que te abrevas
es de tus ojos velo.
. . . .
Vamos, quieto, y devórame con calma;
yo te doy carne y sangre, pensamiento.   65
y Jove, sólo luz, luz sólo y aire...
y qué, ¿no estás contento?
¿Aún pides más? ¿Te has vuelto acaso loco?
¿Te emborrachó mi sangre?
¡Vamos, traga con calma y poco a poco!   70
. . . .
Deja que mis entrañas se renueven
y escarba en mis redaños;
somos viejos amigos, mi verdugo;
pasan los años
¡y tú a tu faena destructora   75
la tela de mi vida desgarrando!
¡Quieto, quieto, y devora;
vamos pasando!
. . . .
¿Sientes morriña de tu patria el cielo?
¿Quieres volar a la escarpada roca   80
que cobija tu nido
sirviéndole las nubes de cortina?
No lograrás llegar, te abate a tierra
el buche con mi carne perinchido;
¡es muy alta la sierra!   85
. . . .
¿Qué se te gasta el pico?
Lo puedes afilar en mis costillas
que pusiste al desnudo.
. . . .
Nacer fue mi delito,

nacer a la conciencia,   90
sentir el mar en mí de lo infinito
y amar a los humanos...
¡pensar es mi castigo!
¡Dale, dale de firme, cruel amigo!
. . . .
Desde los bordes de tu córnea boca   95
a mi abierto regazo
mi propia sangre escurre
como el orvallo cae sobre la grieta
que guarda el manantial do nace el río,
río de que la nube luego brota,   100
nube que vuelve al río gota a gota.
. . . .
¡Cuánto me quieres buitre mío, cuánto!
¡Con qué voraz cariño me devoras
encendido en deseo de mi cebo!
¡Sangre eres de mi sangre y es tu carne   105
de mi carne renuevo!
Me abrazas y me estrechas en tus garras,
como en espasmo de fusión suprema;
tiembla mi cuerpo de dolor entre ellas,
palpitantes amarras,   110
pero mi alma,
mi alma a ti se vuelve, mi verdugo,
pues que te debe de su vida el jugo.
. . . .
Lo que es en mí dolor, en ti es delicia;
mi desgracia, tu triunfo;   115
mientras tu corvo pico me acaricia,
con lo que sufro gozas;
para henchirte de vida me destrozas.
. . . .
Pero no, no te apartes de mi seno,
que a tu falta me duermo para siempre;   120
escarba en mis entrañas, pensamiento;
mejor que no el vacío, tu tormento.
Existir, existir, pensar sufriendo
más bien que no dormir, libre de penas,

el sueño sin ensueños, que no acaba;   125
benditas tus cadenas,
ya que sin ellas pronto me hundiría
de las pálidas sombras en el gremio.
Sea inmortal dolor, mi eterno buitre,
y no placer efímero, mi premio.   130
. . . .
Arrímate así más, sobre mí hundido;
al calor de tu pecho arda mi pecho,
guárdamelo del duro aire serrano,
de su arreciente hostigo[3];
más crüel no me seas que el tirano,   135
y al cumplir su sentencia compasivo
con tus alas protégeme y enjuga
con tu redondo pecho mis heridas;
¡sea bizma su pluma,
blanda esponja, sedeña como espuma!   140
. . . .
Cuando en verano encone mis heridas
el sol por el que vemos y él es ciego,
haz de tus recias alas abanico
y oréame con ellas
al compás de los golpes de tu pico.   145
Y ahuyéntame las moscas,
las moscas asquerosas, tercas, blandas,
enjambre de gangrena,
mandaderas de sangre y podredumbre;
no envilezcas mi pena;   150
¡a ellas es imposible me acostumbre!
. . . .
¡Todo, todo devóralo, no arrojes
piltrafas a los cuervos;
no soy manjar de echar bajo la mesa;
nada, nada de sobras a los siervos;   155
toda entera resérvate la presa!
Eres digno de mí, yo de ti digno,

---

[3] García Blanco puso *creciente*, en vez de *arreciente*.

pero los cuervos,
los que aman la carroña...
aléjalos, mi buitre, a picotazos,   160
que sepan que estoy vivo;
lejos, lejos de mí, sepultureros,
¡nos bastamos tú y yo, sin compañeros!
· ·
Y esto, ¿se acabará? Todo se acaba.
En la más dura peña gota a gota   165
el hilo de agua su sepulcro excava
y desde el pétreo y funerario cáliz
en vapor invisible[4]
va a derretirse al cielo.
Gota a gota mi sangre va mellando   170
estos férreos lazos
que Hércules y la Fuerza remacharon;
gota a gota las roe con la herrumbre
y ha de quebrar al fin su pesadumbre.
Viva es la sangre, muertas las cadenas;   175
la guardo como arroyo
de una savia perenne que en las venas
tiene su cauce estrecho.
Y vosotras, inmobles ligaduras
que me surcáis el pecho,   180
sois sólo hierro inerte,
y a la larga el que vive es el más fuerte.
Con el jugo inmortal de sus entrañas
arrasar puede el hombre las montañas.
· ·
Y tú, verdugo, te has de hartar un día;   185
llegarás a las bascas y al hastío;
tupido hasta el gañote
a la modorra abatirás tu brío
y alicaído, lacio,
te acostarás para dormir tu hartazgo;   190
colchón tendrás en mí sobre esta roca

---

[4] Mi lectura es la correcta, según *Poesías,* pág. 149.

en que a merced de tus furores yazgo.
Dormirás para siempre
aquí, mi buitre, en mí, sobre tu presa
y yo, tu pábulo hoy, seré tu huesa.   195

. . . .
Y tú, impasible Júpiter celeste,
Razón augusta, Idea soberana,
Buitre del universo que devoras
mundos, soles y estrellas,
Tú, a quien los siglos son como las horas,   200
harto también un día
la cabeza almenada de centellas
doblegarás de la modorra al peso.
Será tu fin, el fin de tu reinado;
sobre ti manda, incontrastable, el Hado.   205

. . . .
Y ¿después? ¿Cuando cese el Pensamiento
de regir a los mundos?
Y ¿después...?
—¡ay, ay, ay! ¡no tan recio!—
¡No tan recio, mi buitre!   210
¡Mira que así me arrancas la conciencia;
aun dentro de tu oficio, ten clemencia!

[1907]

POR DENTRO*

I

¿Es que acaso conoces tú la angustia
de sentir tu regazo
sacudido de un ser que desconoces
y sin poder librarlo?
¿Ha sentido tu espíritu en congoja   5
los apuros de un parto
que no da a luz y queda entre dolores
como un esfuerzo vano?
¿Sabes lo que es sentir tus pensamientos
agitarse en la sombra, por debajo,   10
y no verles los ojos
ni de su voz sentir el dulce llanto?
¡Tener dentro del alma hijos que viven
atormentados,
que te piden la luz y tú no logras   15
darles descanso!
Algo grande se agita en mis entrañas,
algo que es soberano,
algo que vive
con un vivir oscuro y abismático.   20
Y ¿no será mejor que allí lo deje
sin al mundo sacarlo,
y que viva su vida de tinieblas
en hermético arcano,
sin cobrar voz ni forma,   25
sin tener que encarnar en cuerpo extraño?
Pues extraño a toda alma es todo cuerpo;
todo pensar callado,
así que toma voz y habla a los hombres

---

* Traducción inglesa de E. Turnbull (1952) y, fragmentaria, al italiano, de
O. Macrí (1952).

del mundo en el teatro,   30
pierde la oscuridad en que guardaba
todo el celeste encanto
de su virtud fluida,
y es cual duro guijarro,
en vez de ser esencia vaporosa   35
que del Sol a los rayos
se ha de bañar un día cuando vuelva
al seno del oceano
de que surgió, perdida nubecilla,
que el viento de rechazo   40
me trajo al alma,
donde le doy amparo.

                    II

   ¡Oh, no poder dar luz a las tinieblas,
voz al silencio,
que mi dolor cantara   45
el salmo del misterio!
¡Oh, no poder decir lo que se muere
en sagrado secreto,
antes de haber nacido,
en el sepulcro-cuna de lo eterno!   50
¿Dónde está vuestro aroma de ambrosía,
¡oh flores del invierno!,
que antes de abrir al Sol vuestras corolas
—¡dulce consuelo!—
volvisteis a los campos   55
a que la Muerte baña con su riego?
¡Cantar lo que no cabe
ni en palabras ni en tonos es mi empeño,
y decirte, mi amor, aquí, al oído
mi corazón entero,   60
con su ritmo sin música, ni letra
con todo su silencio!
Terrible es la palabra
y su poder, poder de mal agüero.
Muere en ella la idea cuando nace,   65

                                                185

enterrada en su cuerpo,
como muere al dar fruto,
del todo nuestro anhelo.
Que al tocarte mi fiebre en ti despierte
la fiebre de tu seno,   70
y se fundan así nuestros ardores
en un mismo deseo.
Calla, mi amor, cierra tu boca fresca,
que así te quiero,
donde dejó su huella la palabra   75
no anida bien el beso.
Calla, que hay otro mundo
por dentro del que vemos,
un mundo en el que tejen las tinieblas
y es todo cielo.   80

III

¡Pobre mortal que crees en tu locura
buscar la dicha,
mira cómo te lleva
de su mano la vida...!
Sueñas la libertad, perdido el seso,   85
y te imaginas
que ella ha de hacerte hombre,
mas ¡ay de ti aquel día
en que en sus brazos caigas y en tu pecho
reviente, así que caigas, el enigma!   90
Tú corres tras de un hito,
mas hay un Dios que dentro tuyo habita,
que es quien te lleva,
quien tu suerte encamina,
y ese tu Dios en otro blanco tiene   95
puesta la mira,
y mientras crees alzarte a tus estrellas
a las suyas te guía.
¿Ves esa muchedumbre
que con furor se agita?   100

Dan todos una voz, todos un grito,
la bandera es la misma,
mas si es una la queja
son muchas las heridas;
cada cual con la suya   105
que cela en sí, y del mundo desconfía.
Lanzáronse a la plaza
buscando de sus penas medicina,
huyendo sus pesares,
por no verse en la sima   110
de la miseria,
la soledad huyendo de sí mismos,
buscando olvido en la revuelta liza.
Y todos braman a una
y a todos ciega les sacude la ira,   115
y cada cual ignora
lo que a su hermano el corazón le mina.
No hagas caso a los hombres
que se juntan y gritan;
si una endecha da el coro   120
de cantares distintos va tejida,
y cada cual encubre
dentro el alma intranquila
bajo el grito común su propia queja,
para no oírla.   125
Buscan, pobres, olvido,
buscan bregando en la común porfía,
adormecer sus penas,
echar fuera la vida
y acallar las domésticas cuestiones   130
con el huero fragor de las políticas.
No hagas caso a los hombres
que se juntan y gritan;
hojas sus gritos son que el viento lleva
mientras en silencio su dolor radica.   135
Baja, pues, al silencio,
y espera a que el dolor allí te rinda.

IV

    Es el dolor la fuente
de que la vida brota,
es el dolor la flor de lo divino,   140
es la corona
del infinito anhelo,
es el dolor el beso de la boca
de nuestra eterna Madre
la que en el cielo llora.   145
Cuando calle el Dolor las alas de la Muerte
las alas tenebrosas
batir en los profundos
cual si fuesen las olas
del mar de la ilusión en que los seres   150
sin rumbo bogan;
donde se mecen, frágiles barquillas,
las fugitivas formas,
donde esas que llamamos leyes se alzan
cual escarpadas rocas   155
en que buscando aquéllas su refugio
pronto perecen rotas.
Es el dolor del árbol de la vida
la savia vigorosa;
cuando el mundo va a hundirse en la
                                [inconciencia 160
¡Dios surge y sopla!
Y es su soplo dolor, dolor intenso[1]
que a las almas azota,
y las almas buscando algún alivio
se revuelven ansiosas   165
y hacen el mundo
que así resulta ser del dolor obra.
¡El dolor o la nada!

---

[1] En las *O. C.*, XIII, pág. 326, se ha leído mal: *propio dolor, dolor intenso.*

¡Quien tenga corazón venga y escoja!
Dice un refrán antiguo y triste: «un clavo   170
saca a otro clavo», y toda
la ciencia del dolor en él se encierra;
es la corona
del saber que en su pecho dolorido
quien padeció atesora.   175
Matarás una pena
sólo con otra,
si ésta es más pura y grande, más divina,
si ésta es más honda,
y cuanto más lo sea   180
más lleva en sí sustancia de congoja,
puerta divina
por donde se entra en la anhelada gloria.
Y allí en los brazos de tu Madre eterna,
¡oh mi alma sufridora!,   185
juntándote a las almas que sufrieron
como tú en una sola
consolación, las lágrimas
recibirás que de sus ojos lloran.
Será vuestro consuelo   190
bañaros en las ondas
de las eternas lágrimas que curan
por fin toda congoja,
pues en lo eterno del dolor divino
la amargura se borra,   195
y la miseria deja al miserable
dulzura muy sabrosa.
Métete en tu dolor y en él trabaja
por escardar la broza.

V

    ¿No te acuerdas, mi amor, que te decía   200
cómo en mi seno luchan
por darse a luz oscuros pensamientos
sin voz y sin figura?

Son mis dolores, hijos desdichados
que mueren en la cuna,   205
cuando no logran que de fuera a ellos
otros acudan,
y los llamen, los saquen, los abracen,
con ellos se confundan,
y en dolorosa comunión besándose   210
frutos de amor produzcan.
Muere dentro del alma toda pena,
estéril e infecunda,
si tocándole otra alma dolorosa
no le mete la suya.   215
Por eso te decía que callaras
y así, en silencio, muda,
dejases que tu pena poco a poco,
desde la hondura
de ese tu corazón que cual el mío   220
bate la eterna angustia
te subiese a la boca
y en invisible y silenciosa espuma
se vertiera en la mía y en un canto
probásemos su fruta.   225
No hago caso del mundo que en la plaza
se agita y mete bulla
creyendo que sus penas adormece
con esas luchas,
sufre y brega sin tino;   230
no sabe lo que busca
y tú para él, mi alma, sólo tienes
esta palabra: ¡nunca!
A dar voces vacías,
pobrecillos, se juntan,   235
y gritan y más gritan
y sus penas ocultan
y piden no sé qué que ni ellos saben
aunque crean saberlo en su locura.
Lejos de esos afanes   240
que al mundo abruman
casemos nuestras penas en silencio

y de este fuerte enlace acaso surja
fruto consolador que les devuelva
cuando yazgan en murria   245
sepultados del tedio en lo profundo,
cuando la vida sufran,
cuando toquen lo vano de su empeño
y deseen haber muerto en la cuna,
les devuelva la savia de este fruto   250
la entrañable dulzura
que lleva en sí la pena que al casarse
consiguió hacerse en el amor fecunda.

VI

Y basta, adiós, es hora de callarnos,
van ya muchas palabras;   255
adiós, mi amor, volvamos al silencio;
voy a callarme... ¡calla!
Un día más que fue ¿lo sabes?
pero vendrá mañana,
y no será otro día, te aseguro,   260
pues en nuestra alma
todos los días son un solo día
como todas las penas, aunque tantas,
son una sola pena,
una sola, infinita, soberana,   265
la pena de vivir llevando al Todo
temblando ante la Nada
El tiempo muere ante el dolor supremo,
en él se anega el ansia;
es el dolor eternizado el único   270
que cura del que mata.
Cuando el pueblo judío en el Desierto
contra Dios murmuraba,
fastidiado del pan que era liviano,
fastidiado del agua,   275
serpientes ardorosas sobre ellos
va el Señor y desata;

y morían mordidos por la boca
de la cruel alimaña.
Se fueron a Moisés llenos de angustia,   280
confesaron su falta,
Moisés oró al Señor y a su mandado
una serpiente de metal les labra
y ante el pueblo rendido
sereno la levanta.   285
Y a la serpiente de metal erguida
quien quiera la mirara,
de las otras de carne y morideras
libre quedaba.
Al dolor de metal que siempre dura,   290
dolor que nunca pasa,
mira cuando le muerdan los dolores
que comen y que matan;
abrázate al dolor eternizado,
abrázate a la cruz que se levanta   295
por cima de los mundos,
¡abrázate a ella y calla!
Callemos ya, mi amor, en el silencio
la dulcedumbre de la pena guarda;
callemos ya, mi amor, harto te dije,   300
voy a callarme... ¡calla!

ALBORADA ESPIRITUAL*

¡Gracias a Dios que al fin se fue la noche!
Se fue la noche en que sumida el alma
por infecundas horas trascurría...
El celestial rocío me despierta,
—de la gracia el rocío—   5
con frescura que llega a las entrañas.
Cuanto en nocturno sueño adormecida,
y el corazón en su latir menguado,
más fría el alma yazga,
con más amor le bañará piadoso   10
el celestial rocío de la gracia,
en su torno cuajando desde el cielo,
y refrescando su inmortal anhelo.
. . . .
La noche ya pasó con sus negruras
la espiritual y misteriosa noche   15
en cuyo ocio las horas trascurrían
infecundas corriendo a disolverse
en el eterno abismo.
Tan sólo de la luna el rostro pálido,
del padre de la luz manso reflejo,   20
con su triste mirada me infundía
placentera tristeza...
Su lumbre melancólica y lechosa
bañaba a mi campiña
en lividez de resignada muerte;   25

---

* La fecha del poema se deduce por una carta del 24 de mayo de 1899, en la que don Miguel dice a Jiménez Ilundáin: «¡Esas mis nebulosidades es lo que más amo! Sólo la niebla, el matiz, el nimbo que envuelve a las cosas da la vida profunda. Aborrezco la engañosa diafanidad latina. Entre mis poesías, claras todas, hay una: *Alborada espiritual,* la más íntima, la más mía, en que vierto lo más dulce de mis crisis cordiales en simbolismo tenue y nebuloso. Hay que aspirar a la poesía *nouménica* sin quedarse en la *fenoménica;* que ponga algo el lector, que se deje sugerir» *(UI,* pág. 297).

bajo ella parecía que mis campos,
los campos de mi espíritu,
con pesar aspiraban a la nada,
temiéndola a la vez...
Fantásticas regiones   30
fingían de mi espíritu abatido
los valles y montañas,
los bosques y desiertos,
los ríos y los lagos silenciosos,
¡las costas de mi mar...!   35
¡Todo en la paz sumido dormitaba,
en la paz de la muerte,
en profundo sopor de que surgía
sueño de vanidad...!
¡Todo a tu luz, oh luna solitaria,   40
la oquedad de su seno me mostraba;
el íntimo vacío de mi vida
me anegaba en sopor...!
El alma recojida
al palparse palpaba su vacío,   45
me penetraba el frío
¡el frío de tu luz...!
Y mirando a tu rostro de tristeza
del fondo del vacío del espíritu
subíame un anhelo,   50
oscura aspiración informe y vaga
cuyo vuelo en las nieblas se perdía
que las cumbres de mi alma coronaban,
¡el anhelo del Sol...!
Mas poco a poco el rostro de la luna   55
de palidez mortal se fue cubriendo
al par que en el oceano cristalino
de la celeste bóveda
se infiltraba sutil la tenue esencia
¡del blanco albor...!   60
Y cual perdido témpano que boga
del cielo por la bóveda serena,
blanco quedóse de la luna el rostro,
como cuajada nube,

blanca y sin luz de mi pensar la luna   65
al anunciarse el Sol que la ilumina,
blanca y perdida en la extensión inmensa
del cielo de mi espíritu, bañado
en matutinas lumbres de esperanza,
en agorero albor.   70
¡Adiós, luna de mi alma,
piadosa compañera de mis noches,
tú con tu pobre lumbre
prestada y de reflejo
estrujaste dulzor de mi tristeza;   75
tú guiaste mis pasos inseguros
de la penumbra en medio,
tú templaste la ausencia
del Sol porque suspira mi alma toda;
tú fuiste mi consuelo,   80
faro de mis eternas correrías,
centro de mis anhelos,
precursora del Sol!
¡Adiós, luna de mi alma,
no dejes de girar en torno mío,   85
y que el Sol te ilumine y te sostenga,
espejo de su luz!
Y así como al romper la aurora cándida
antes que el sol se muestre,
derrítense sumisas las estrellas,   90
así se han derretido mis ideas
en la aurora de mi alma,
antes que el Sol sobre ella resplandezca.
Blancura virginal suave me envuelve,
del corazón las flores se entreabren,   95
ofreciendo su cáliz perfumado,
al recibir el matutino beso
que del oriente sopla;
al besarlas la brisa soleada,
resucitando se abren,   100
las perfumadas flores que brotaron
entre cizaña, abrojos y maleza,
del corazón en el cerrado huerto,

de la virtud con la feraz simiente...;
los lirios de blancura inmaculada   105
de los deseos de pureza henchidos,
de la resignación las violetas,
las tiernas rosas de zarzal silvestre
de las dulces palabras de consuelo
con que animé a mi hermano,   110
los nardos que aromáticos surgieron
¡de las obras de amor!
De mi alma hacia el oriente
en el lejano bosque en que dormitan
de mi niñez los ecos,   115
donde esperan tranquilas las memorias
de mi edad auroral fresca y hermosa,
para romper en cánticos de gozo
así que el Sol las bañe,
allí mi cielo se colora y viste   120
de purpurino manto,
de oro acendrado en el crisol divino
¡de la antigua inocencia...!
¡Vivas memorias de mi cara infancia,
remembranzas benditas,   125
pajarillos del alma
que allá del corazón en la espesura
anidáis en silencio,
pronto al brillar el Sol sobre vosotros,
y al beber de su rayo soberano   130
cernido en el follaje
del árbol de mi vida,
romperéis en un cántico de gloria,
himno cordial de triunfo,
de eterno amor al dulce Amor eterno!   135
Todo impaciente aspira
al misterio solemne
de abrirse tras la noche el claro día;
¡el día va a nacer!
¡Sal pronto sobre mí, de la luz Padre,   140
envuélveme en el manto luminoso
tejido con tus rayos impalpables,

fecundando la acción de tu rocío...;
¡el día va a nacer!
Todo te aguarda pronto,   145
mis flores y mis pájaros te esperan,
con su perfume aquellas
dormido en sus corolas recojidas,
y aquestos con sus trinos
que duermen en la lira de sus pechos;   150
te espera ansioso el corazón despierto;
te espera el alto cielo que le cubre,
el aire espiritual de que respiro,
te espera mi alma toda,
en su prenada aurora...   155
¡el día va a nacer!
¡Dame a beber tus rayos, Sol de vida;
está pronto el altar!
¡A su ara ven propicio, Sol divino;
todo para adorarte está de hinojos;   160
el día va a nacer!
¡Rompe en tu gloria ya, Sol de mi vida;
amor de los amores,
eleva a ti el perfume de mis flores,
recoje de mis pájaros el canto,   165
el canto de victoria,
que al esplendor de tu divina gloria,
¡hinche mi corazón!
Te cantarán un himno no aprendido
los alados recuerdos de mi infancia   170
ebrios con la fragancia
de las flores brotadas del amor.
¡Agosta con tus rayos mi maleza
Sol del eterno amor!
¡Mi ser todo te adora,   175
enciéndeme en tu brasa avivadora,
híncheme cuerpo, corazón y mente
en la luz del Amor!

[1899]

NUBES DE MISTERIO*

Al cielo soberano del Espíritu
tenue vapor se eleva desde mi alma,
en ondulantes nubes se recoje
a que el Sol increado en su luz baña,
y de mi mente en la laguna quieta   5
cuando se aduerme en otoñal bonanza
sin que rompa su tersa superficie
el viento que del mundo se levanta,
con sus nubes la bóveda celeste
a retratarse en los cristales baja   10
sin dejar sus alturas, de tal modo
que finge repetirse so las aguas.
A ellas desciende en plácido sosiego,
del abismo evocando en las entrañas
el azul celestial que allí dormita,   15
el soterraño cielo en que descansan,
y en su tersura mórbidas las nubes
en idénticas formas se retratan.
Entonces me rodean los misterios
haciéndome soñar nubes fantásticas,   20
quimeras sin contornos definidos,
de ondulante perfil, figuras vagas,
visiones fugitivas de otros mundos
que se hacen y deshacen sin parada,
sin dejarme su imagen, ni me queda   25
estela o nimbo alguno de su marcha.
La procesión de vagarosas nubes,
del lago en la tersura sosegada
sucédese cual números melódicos
de alguna sinfonía honda y callada,   30
en suave ritmo de ondulantes líneas,
de tornasoles y matices, aria

---

* El poema se publicó en la revista barcelonesa *Pèl & Ploma*, órgano del modernismo catalán. García Blanco ha dado las variantes de 1903 y 1907 *(MUP*, págs. 30-31).

198

de cambiantes sutiles, himno alado
que en silencio profundo la luz alza.
Y el himno silencioso me despierta   35
inextinguibles y entrañables ansias
de una vida mental pura y sencilla,
sin conceptos ni ideas, abismática;
de espirituales linfas que circulen
sin cuajarones, en flúida savia,   40
que vivífica fluya, en libre jugo
antes de que en celdillas se reparta
y en la prisión de vasos y de brotes
pierda su libertad el protoplasma;
de etéreo concebir que se difunde   45
por los celestes ámbitos del alma,
pensamiento no esclavo de discurso
que a la raíz de la vida ávido abraza
con tan íntimo abrazo y tal deseo
que a confundirse llegan.   50
                La batalla
con el tenaz misterio al fin me rinde;
al pensamiento la quietud me gana;
y a favor del reposo en que la mente
de su continuo forcejear descansa,
del corazón resurgen los anhelos,   55
me late lleno de amorosas ansias,
pide su parte en el oficio, quiere
comulgar del misterio en las entrañas.
Rendidas al amor las nubes leves,
en suave lluvia entonces se desatan,   60
y al pobre corazón riegan, sediento,
que se entreabre a beber sus vivas aguas,
las que me nutren del pensar el lago,
las que forman la fuente sosegada
de que fluye mi eterno y mi infinito   65
manantial de que excelsa vida mana,
vida de eternidad y de misterio
que jamás empezó y que nunca acaba.

[1899]

LA VIDA ES LIMOSNA*

Mira el pordiosero,
es el de siempre...
¡Pobrecito, que viene deshecho!
¡Cómo resiste!
¡Parece imposible!   5
Mírale cómo besa el mendrugo
que de allí le echaron...
¡Oh qué pan tan duro!
No le ablandan los besos, de fijo,
los besos del pobre...   10
Hoy le besa... mañana le muerde...
Le besa y lo guarda; al zurrón se lo mete,
se guarda el mendrugo...
En él de sus dientes
dejó un niño la marca   15
y después de morderlo
tuvo que dejarlo,
rendido de sueño,
rendidito el pobre...
Mira un pajarito   20
cómo allí se posa,
a cojer las migajas
del pan de limosna...
Mira que volando
las lleva en el pico...   25
¡Migas del mendrugo!
Se las lleva al nido...

*

Hay que dar limosna,
no hay más remedio,

---

* Traducida al inglés por Eleanor L. Turnbull (1952).

hay que dar limosna...   30
El no darla es tan feo.
¿Que no sirve de nada? ¿Qué importa?
¿Qué importa?... Es tan feo...
¡Es hermoso y basta!
«¡Caridad no, justicia!» me dices...   35
Ésas son monsergas,
son cosas de libros,
ésos son embrollos,
ve ahí, te lo digo...
¡Es tan hermoso!   40

                          *

Mírale como viene... tan dulce...
Tan dulce y tan quedo...
Mírale como viene tan dulce...
Es el pordiosero...
Parece su capa   45
la huerta del pueblo[1],
la huerta formada
de retazos de todos colores
que se acerquen al verde... la capa
parece la capa del pueblo,   50
parece la huerta
si la ves desde el cerro.
El sol y la lluvia
le han dado ese tono,
ese tono tan suave y tan dulce...   55
Dale limosna... ¡que es tan hermoso!
Mira, el Sol, que es tan bueno,
su luz soberana
le da de limosna
sin negarle nada.   60
Y el aire le envuelve
le besa y le abraza,

_____

[1] Este verso está repetido en la primera edición.

y con tanto ahínco
que por eso se pone la capa.
Bebe en los caminos   65
agua cristalina,
agua que Dios llueve,
limosna Divina...

*

¿Es que acaso somos
más que unos mendigos?   70
De limosna y de gracia,
de mendrugos vivimos...
Otra vez... ¿otra vez lo repites?
¡Justicia tan sólo...!
¡Desgraciado si no encuentras gracia!   75
¡Oh si el Juez soberano
tan sólo justicia le diera,
justicia tan sólo...!
Ésas son monsergas,
son cosas de libros,   80
ésos son embrollos,
ve ahí, ¡te lo digo!
Una limosnita por Dios, pide el pobre,
y se le contesta:
«¡Hermano, perdone!»   85
Y él perdona la deuda,
pa'a que Dios le perdone.
«Que el buen Dios se lo pague, hermanito,
que Dios le bendiga»,
dice a quien le paga,   90
y en limosna le da Dios la vida...
La vida es limosna...
Déjale al corazón que te diga
qué es lo más hermoso,
déjale al corazón, que en la vida   95
él sabe sólo...
¡Sólo él sabe la dicha!
La vida es limosna,

limosna del cielo...
Te vendrá tu hora...   100
La vida es muy dura[2];
es como el mendrugo,
la vida es muy dura
es como el mendrugo que echaron al pobre.
Bésala piadoso   105
antes de guardarla.
Besa ese mendrugo
antes de meterlo al zurrón de tu alma.
Su señal dejó en ella algún ángel
antes de dormirse...   110
Ha de despertarse...
Cuanto tú te duermas,
duermas para siempre...
La vida es limosna...
¡Limosna la muerte!   115

---

[2] 101-104: Así en *Poesías*, 1907; García Blanco *(O. C.*, XIII, pág. 343).

¡PERDÓN!*

Men med hvad Ret fik Hakon Retten og ikke I?
(Ibsen, *Kongs-Aemnerne*)

Si tú no te perdonas
no te perdona Dios;
¡perdóna-te!
Si en paz no vives
contigo mismo,   5
si no consigues
paz en tu pecho,
¡no te dará Dios paz...!
La paz viene del fondo
del corazón;   10
es divino tesoro
que en ti Dios puso,
¡es tesoro de amor!
Esa inquietud interna
que te derrite,   15
ese anhelo infinito[1]
que no se extingue,
que no se sacia,
es porque no perdonas,
es porque no amas...   20
¡Desecha la justicia,
que es pobre cosa,
que mata al corazón!
¡Busca la vida,
la vida inextinguible,   25
búscala en el perdón!

---

* Traducción inglesa de E. Turnbull (1952).

[1] García Blanco, *es.*

204

¡Perdóna-te!
Honda piedad inmensa
tu corazón derrita,
al tocar tu miseria,   30
tu miseria infinita,
que es la miseria humana,
el lastre de la vida...
¡Perdóna-te!
y en ti perdona a todos...   35
¡perdóna-te!
Acude a tu tesoro,
al divino tesoro
que en ti Dios puso,
¡al tesoro de amor...!   40
Sólo el perdón es justo,
él sólo fluye
del pecho puro;
sólo el perdón es justo...
¡perdóna-te!   45
Perdónate y perdona,
al perdonarte, a todos,
a todos los que amargan
nuestra vida con dolo...
¡en el juez está el mal!   50
Es el que juzga el que hace
la maldad del delito,
es el que juzga...
¡sólo el perdón es hijo
del absoluto Amor!   55
No alegues tu derecho...
¿con qué derecho
ese derecho alegas?
¡Sólo el derecho eterno
darte vida podrá!   60
Y es el derecho eterno
ser perdonado...
perdónate y en ti perdona a todos
¡perdóna-te!
Ni tu deber alegues...   65

hay un deber tan sólo,
¡y es el perdón!
Perdón es sacrificio
del que perdona;
es gracia, don divino,   70
del que el perdón recibe;
es gracia y sacrificio,
fruto de amor,
de amor, no de justicia,
¡de caridad!   75
Es gracia y no derecho;
no deber, sacrificio...
¡es libertad!
Es libertad perfecta
santo tesoro   80
que soporta cadenas,
es libertad del alma,
¡fruto de amor!
Tribunal no levantes
dentro de tu alma;   85
mantenla pura;
no te juzgues en juicio
oye a tus ansias
¡ansias de paz!
Contempla tu miseria,   90
que es la miseria humana
la triste pena;
contémplala y aviva
¡tu compasión!
Compasión a ti mismo,   95
piedad del Hombre,
pesar por el delito...
¡perdóna-te!
Perdónate y perdona
contigo a todos,   100
a todos los que amargan
esta vida con dolo
perdónate y perdona...
¡perdóna-te!

¡Desecha la justicia,   105
que es pobre cosa,
que mata al corazón!
Si tú no te perdonas
no te perdona Dios...
¡Perdóna-te!   110
Si tú no te perdonas,
¿cómo has de perdonar?
¡Perdóna-te!
¡Perdón! ¡Sólo perdón!
¡Perdón tan sólo!   ·115
¡Sólo perdón!

ELEGÍA EN LA MUERTE DE UN PERRO*[1]

La quietud sujetó con recia mano
al pobre perro inquieto,
y para siempre
fiel se acostó en su madre
piadosa tierra.   5
Sus ojos mansos
no clavará en los míos
con la tristeza de faltarle el habla;
no lamerá mi mano
ni en mi regazo su cabeza fina   10
reposará.
Y ahora ¿en qué sueñas?
¿Dónde se fue tu espíritu sumiso?
¿No hay otro mundo
en que revivas tú, mi pobre bestia,   15
y encima de los cielos
te pasees brincando al lado mío?
¡El otro mundo!
¡Otro..., otro y no éste!
Un mundo sin el perro,   20
sin las montañas blandas,
sin los serenos ríos
a que flanquean los serenos árboles,
sin pájaros ni flores,

---

* Traducciones de Pomès, al francés (1938) y de Turnbull, al inglés (1952).

[1] Después de preparado este libro y al correjir las pruebas, leo en *Clairières dans le Ciel* de Francis Jammes (París, 1906) una poesía que empieza:

Mon humble ami, mon chien fidèle, tu es mort

y que ofrece una grandísima semejanza con la mía. Para los maliciosos he de declarar que mi composición estaba escrita —y leída a no pocos amigos— antes de haberse publicado el libro de Jammes, y en todo caso, honni soit qui mal y pense *(N. del A.)*.

sin perros, sin caballos,   25
sin bueyes que aran...
¡el otro mundo!
¡Mundo de los espíritus!
Pero allí ¿no tendremos
en torno de nuestra alma   30
las almas de las cosas de que vive,
el alma de los campos,
las almas de las rocas,
las almas de los árboles y ríos,
las de las bestias?   35
Allá, en el otro mundo,
tu alma, pobre perro,
¿no habrá de recostar en mi regazo
espiritual su espiritual cabeza?
La lengua de tu alma, pobre amigo,   40
¿no lamerá la mano de mi alma?
¡El otro mundo...!
¡Otro..., otro y no éste!²
Oh, ya no volverás, mi pobre perro,
a sumergir tus ojos   45
en los ojos que fueron tu mandato;
ve, la tierra te arranca
de quien fue tu ideal, tu Dios, tu gloria.
Pero él, tu triste amo,
¿te tendrá en la otra vida?   50
¡El otro mundo...!
¡El otro mundo es el del puro espíritu!
¡Del espíritu puro!
¡Oh terrible pureza,
inanidad, vacío!   55
No volveré a encontrarte, ¿manso amigo?
¿Serás allí un recuerdo,
recuerdo puro?
Y este recuerdo,
¿no correrá a mis ojos?   60

---

² El segundo *otro*, según lee García Blanco *(O. C.,* XIII, pág. 349).

¿No saltará, blandiendo en alegría,
enhiesto el rabo?
¿No lamerá la mano de mi espíritu?
¿No mirará a mis ojos?
Ese recuerdo,   65
¿no serás tú, tú mismo,
dueño de ti, viviendo vida eterna?
Tus sueños ¿qué se hicieron?
¿Qué la piedad con que leal seguiste
de mi voz el mandato?   70
Yo fui tu religión, yo fui tu gloria;
a Dios en mí soñaste;
mis ojos fueron para ti ventana
del otro mundo.
¿Si supieras, mi perro,   75
que triste está tu dios porque te has muerto?
¡También tu dios se morirá algún día!
Moriste con tus ojos
en mis ojos clavados,
tal vez buscando en éstos el misterio   80
que te envolvía.
Y tus pupilas tristes
a espiar avezadas mis deseos,
preguntar parecían:
¿a dónde vamos, mi amo?   85
¿A dónde vamos?
El vivir con el hombre, pobre bestia,
te ha dado acaso un anhelar oscuro
que el lobo no conoce;
tal vez cuando acostabas la cabeza   90
en mi regazo
vagamente soñabas en ser hombre
¡después de muerto!
Ser hombre, ¡pobre bestia!
Mira, mi pobre amigo,   95
mi fiel creyente;
al ver morir tus ojos que me miran,
al ver cristalizarse tu mirada,
antes fluida,

yo también te pregunto: ¿a dónde vamos?   100
Ser hombre, ¡pobre perro!
Mira, tu hermano,
es ese otro pobre perro,
junto a la tumba de su dios tendido,
aullando a los cielos,   105
¡llama a la muerte!
Tú has muerto en mansedumbre,
tú con dulzura,
entregándote a mí en la suprema
sumisión de la vida;   110
pero él, el que gime
junto a la tumba de su dios, de su amo,
ni morir sabe.
Tú al morir presentías vagamente
vivir en mi memoria,   115
no morirte del todo,
pero tu pobre hermano
se ve ya muerto en vida,
se ve perdido
y aúlla al cielo suplicando muerte.   120
Descansa en paz, mi pobre compañero,
descansa en paz; más triste
la suerte de tu dios que no la tuya.
Los dioses lloran,
los dioses lloran cuando muere el perro   125
que les lamió las manos,
que les miró a los ojos,
y al mirarles así les preguntaba:
¿a dónde vamos?

[1905-1906]

NO BUSQUES LUZ, MI CORAZÓN,
SINO AGUA*

Te metiste, alma mía, en las corrientes
revueltas de la vida,
perdido el tino,
y así te fue; con furia los torrentes
en recia acometida   5
de torbellino
te arrancaron la tierra
mollar y grasa y rica
en que la savia del vivir se encierra
y tus pobres raíces descubiertas   10
perdieron el sustento
y quedaron al aire libre abiertas
y al duro hostigo,
sin apoyo ni fuerza ni alimento,
faltas de todo abrigo   15
¡recio castigo!
Con sus rayos el Sol, ciego verdugo,
las raíces te seca
de sus hebrillas rechupando el jugo
y así te vas quedando mustia, enteca   20
poquito a poco;
huye, mi corazón, no seas loco.
Huye la luz y busca en el secreto
del tenebroso asilo
que con agudas púas alto seto   25
guarda de asaltos,
para tus ansias un lugar tranquilo,
donde en íntima paz, sin sobresaltos
te abreves en la fuente de la vida
siempre florida   30

---

* Traducida al inglés por E. Turnbull (1952). Para la fecha, *vid. MUP*, pág. 73.

y bebas la verdad
que a oscuras fluye de la eternidad.
Porque la luz, mi alma, es enemiga
de la entrañada entraña
en que vuelve el espíritu a sí mismo;   35
cuando la toca sin piedad la hostiga
dentro el abismo
en que en el seno de su Dios se baña,
creyéndose a seguro,
con agua soterraña   40
que se remansa en el regazo oscuro.
Quieren las raíces en lo oscuro riego
sin luz alguna,
quieren sorber en íntimo sosiego
dentro en su cuna,   45
las aguas que a favor de las tinieblas
se aduermen bajo el suelo,
dejándole a la copa que entre nieblas
busque la luz del cielo.
El que es hijo de luz es tu follaje   50
que al sol se mece
y al sol viste de gala su ropaje
de ancha verdura,
y en la noche y la sombra languidece
de honda tristura   55
vencido a pesadumbre,
sin tener cura,
mas tu raigambre
siente sed de agua y de tierra siente hambre
mas no de lumbre.   60
Mejor que junto al río
que de pronto se sale de su cauce
lleno de brío,
y como a pobre sauce
de su ribera   65
te desnuda las raíces de manera
que te es la luz del Sol ofensa y muerte,
mucho mejor, mi alma, te es tenderte
del lago del misterio a las orillas

fuera del remolino 70
de las formas esclavas del Destino,
y allí hundir tus raicillas,
y se miren tus frondas
de sus aguas dormidas al espejo,
de sus aguas sencillas, 75
de sus aguas sin ondas
en que nacen de noche las estrellas,
meditando al reflejo
que del cielo y de ti se junta en ellas.
No busques luz, mi corazón, sino agua 80
de los abismos,
y allí hallarás la fragua
de las visiones del amor eterno;
allí donde no llegan del invierno
los temporales, 85
ni llegan cataclismos,
allí están las visiones cardinales.
Y esta misma agua mansa
que de roer los duros peñascales
jamás se cansa, 90
sustancia es de los cielos de que llueve,
y el cielo mismo, el cielo en que se mueve
el coro de las luces siderales,
verás, si miras bien, cómo se asienta,
y cómo en el vacío 95
la Tierra sobre el cielo se sustenta;
el cielo está a tus pies, corazón mío.

[1905]

LA ELEGÍA ETERNA*

¡Oh tiempo, tiempo,
duro tirano!
¡Oh terrible misterio!
El pasado no vuelve,
nunca ya torna
¡antigua historia!   5
Antigua, sí, pero la misma siempre,
¡aterradora!
Siempre presente...
. . . .
La conciencia deshecha,   10
de la serie del tiempo
¿qué es lo que queda?
¿Qué de la luz si se rompió el espejo?
. . . .
Feroz Saturno,
¡oh Tiempo, Tiempo!   15
¡Señor del mundo,
de tus hijos verdugo,
de nuestra esclavitud lazo supremo!
      Una vez más la queja,
una vez más el sempiterno canto   20
            que nunca acaba,
de cómo todo se hunde y nada queda,
que el tiempo pasa
            ¡irreparable!
¡Irreparable! ¡Irreparable! ¿lo oyes?   25
            ¡Irreparable!
¡Irreparable, sí, nunca lo olvides!
¿Vida? La vida es un morir continuo,
            es como el río

_____

* Su composición debió iniciarse en 1900 y cinco versos de ella se citan
en una carta a Jiménez Ilundáin y en *Amor y Pedagogía (MUP,* págs. 34-35).

215

en que unas mismas aguas   30
            jamás se asientan
y es siempre el mismo.
En el cristal de las fluyentes linfas
se retratan los álamos del margen
                que en ellas tiemblan   35
y ni un momento a la temblona imagen
        la misma agua sustenta.

        ¿Qué es el pasado? ¡Nada!
Nada es tampoco el porvenir que sueñas
            y el instante que pasa   40
transición misteriosa del vacío
            ¡al vacío otra vez!
            Es torrente que corre
            de la nada a la nada.
            Toda dulce esperanza   45
            no bien la tocas
cual por magia o encanto
            en recuerdo se torna,
            recuerdo que se aleja
            y al fin se pierde,   50
se pierde para siempre.
        ¡Oh Tiempo, Tiempo!
Repite, mi alma, sí, vuelve y repite
            la cantinela,
            la letanía triste,   55
            la inacabable endecha,
            la elegía de siempre,
de cómo el tiempo corre
y no remonta curso la corriente.

        El ¡ay! con que se queja el que padece   60
            de antigua pena,
            es siempre el mismo,
            el lamento de siempre;
repetirlo es consuelo,
en rosario incesante, como lluvia   65
una vez y otra y ciento...

¡Oh Tiempo, Tiempo,
        duro tirano!
    ¡Oh terrible misterio!
¡Potro inflexible del humano espíritu!   70
¡Qué pobres las palabras...!
    La sed de eternidad para decirnos
        el lenguaje no basta,
        es muy mezquino...
    Terrible sed,   75
sed que marchita para siempre el alma
que el océano contempla
        ¡inmenso océano!
que nuestra sed no apaga,
        sólo la vista llena,   80
¡océano inmenso de ondas amargas!

    ¿Imágenes? Estorban del lamento
        la desnudez profunda,
        ahogan en floreos
la solitaria nota honda y robusta...   85
Pero imágenes, sí, acordes varios
que el motivo melódico atenúen...
. . . .

    Es la elegía que el silencio entona,
el silencio, lenguaje de lo eterno,
        mientras esclava vive   90
la eternidad del tiempo...
. . . .
¿Hiciste añicos el reló? ¡No basta!
Acuéstate a dormir... es lo seguro,
    ¡hundido para siempre
    en el sueño profundo,   95
habrás vencido al tiempo,
tu implacable enemigo!
    ¡Ayer, hoy y mañana!
Cadena del dolor
con eslabones de ansia...   100

Con las manos crispadas te agarras
a la crin del caballo,
no quieres soltarla
y él corre y más corre,
corre desbocado   105
cuanto tú más le aprietas
¡con más loco paso!

No así me masculles en tu boca
¡feroz Saturno!
acaba, acaba presto, ¡de tus horas   110
implacable enemigo!
cesa el moler continuo
¡acaba ya!
Quiero dormir del tiempo,
quiero por fin rendido   115
derretirme en lo eterno
donde son el ayer, hoy y mañana,
un solo modo
desligado del tiempo que pasa;
donde el recuerdo dulce   120
se junta a la esperanza
y con ella se funde;
donde en lago sereno se eternizan
de los ríos que pasan
las nunca quietas linfas;   125
donde el alma descansa
sumida al fin en baño de consuelo
donde Saturno muere;
donde es vencido el tiempo.

[1899-1900]

EN UNA CIUDAD EXTRANJERA*

Las gentes pasan;
ni las conozco
ni me conocen.
Los unos ríen,
en los otros se ve que han llorado,   5
y ni sé su alegría
ni sé su pena.
Ve aquí que me hallo solo
dentro del mar humano,
mar de misterio.   10
Se me acerca un mendigo
y con voz quejumbrosa
algo me dice que apenas entiendo
tendiéndome la mano,
y sé muy bien qué pide.   15
¡Oh mano humana;
universal tu lengua!
¡Oh mano de trabajos y de adioses,
madre del arte,
madre también del crimen;   20
de los pobres mortales
gloria e infamia!
¡Oh mano humana,
que ríes y que lloras
si te abres o te cierras;   25
ya los rientes dedos derramados,
ya postradas sus yemas,
abatidos los cuatro
que son mellizos
bajo el duro pulgar que los soyuga   30
en crispación de ira!

---

* Traducciones italianas de Carlo Bo (1949) y Renato Fauroni (1955) e inglesa de E. Turnbull (1952).

¡Oh mano humana!
Riente me la tiende este mendigo,
y en su risa solloza;
con sus dedos suplica.   35
Su mano pide mano.
Si todos nos la diéramos
como en rueda de danza,
Dios cuajaría,
chispas de Dios darían nuestros pechos...   40
Se fue el mendigo
buscando lástima...

  La calle se ilumina,
sonríe el cielo
y todos me parecen conocidos...   45
Es que ellos vienen...
ellos son él y ella...
Se miran a los ojos,
ciegos al mundo,
las miradas mirándose.   50
Triunfa en ella la vida;
el aire que respira vuelve humano
desde sus labios rojos,
y en el celeste azul de sus pupilas
la luz se amansa;   55
bate su pecho
el compás de las cosas y los hombres.
Y él a su lado
no cabe en sí y a todos nos anima,
diciéndonos su gloria: 60
¡he aquí el hombre!
Al bordearlos se sienten cuantos pasan
más humanos, más buenos,
uno suspira
envuelto en añoranzas del antaño...   65
Y ellos dos siguen,
batiendo el suelo con andar pausado,
los ojos en el cielo,
los ojos en los ojos...

Se hinche la calle   70
de pureza y dulzura;
parece el mar sencillo
cuando del alba en el regazo dulce
canta el salmo sereno
del eterno reposo...   75
En brazos de su madre
un niño viene sonriendo al mundo...
Como yo, él no entiende
a los que pasan,
ni los conoce.   80
La manecita al cuello
de su fuente de vida
mira a Dios cara a cara y se sonríe.
Y ella, la joven madre,
sumergida en el aire en que su hijo   85
y todos respiramos,
mientras pasa serena,
«he aquí la mujer»
decir parece.

Se hinche la calle
del más viejo misterio.   90
Más lentos son los pasos
de los que pasan.
Descubren sus cabezas.
Por medio de la rúa,
por donde lleva el hombre   95
las cargas del trabajo,
y sus despojos,
le llevan al que un tiempo
reía en las aceras...
Como yo él no entiende   100
a los que pasan,
ni los conoce;
en su caja tendido
mira a Dios cara a cara y... ¿goza o duerme?

Pasa una flor humana   105
de colores chillones que al aire

221

flotan como banderas;
el rojo de amapola,
el gualda de retama,
azul de clavelina,   110
cabellera como una crisantema,
ojos que arden en fiebre,
carnes a todo sol y acres perfumes
de bosque en sementera.
Brinda a todos su cáliz, luego se aja,   115
sin dar semilla.
La humana flor carnívora,
la flor de estercolero
de las ciudades;
la que chupa los tuétanos   120
con la inconciencia torpe del pecado.
Va encendiendo en los ojos
de los que pasan
la antorcha del deseo,
sacudiendo la carne.   125
Y prosiguen más tristes su camino,
sin detenerse.

Ve, se detienen, sí, ¿por qué es que vuelven,
todos sus ojos?
¿Qué así les llama   130
cuando ni la miseria
que tiende temblorosa mano humana,
ni el amor encarnado,
ni el alba de la vida,
ni su noche rodeada de misterio   135
merecen su saludo?
¡Un hombre de otro traje;
de otro color, de traza peregrina,
que pasa solitario
recojiendo miradas   140
y sonando quizás en otras tierras!
¡El extranjero!
¿Dónde nació? ¿De dónde y a qué viene?
¿Quién es el hombre extraño

que la costumbre rompe? 145
¿Qué habrá en su tierra?
¿Será su Dios el nuestro?
¿Nos admira o sonríe de nosotros?
¡Cuántas tierras, Señor, no conocemos!
¡Cuántos se mueren 150
ignorantes del caso
que aquí a todos embarga
y hasta a los niños narran las nodrizas!

Voy a sentarme aquí, bajo este tilo,
que me recuerda al tilo de mi pueblo, 155
aquel que alza su copa
donde rodó mi cuna
y es él cuna de pájaros
que cantaron los juegos de mi infancia.
Memorias su perfume 160
me trae de aquellas gentes
que son las mías,
que conmigo se hicieron;
¡la patria resucita!
Se acerca un perro 165
que acariciar se deja por mi mano
y acepta sin repulgo
azúcar que le brindo.
Y él me recuerda
la hermandad que nos ata a los humanos. 170
Lo que nos une
son las yerbas, los árboles, los frutos
y son las bestias
que a nuestro recio arbitrio soyugamos;
lo que nos une 175
no son los corazones, son las obras.
No nos brota de dentro
esta hermandad que a todos nos envuelve
y nos hace un linaje;
es nuestra obra 180
la que nos ciñe
y a abrazarnos nos fuerza con su abrazo.

Cada cual va dejando
de su labor el fruto
atento sólo a su menguado logro   185
o a menguado renombre,
y esos frutos nos ciñen,
nos atan y nos fuerzan
a darnos el abrazo de que brota
la sociedad humana.   190
Tú das tu fruto,
yo doy el mío,
los cambiamos y nace
la hermandad que nos une.
Las cosas, no los hombres,   195
hicieron de nosotros un linaje;
es la casa que habitas
y que antes otro como tú habitara.
Ven, perro amigo,
obrero de hermandad entre los hombres,   200
pues tú nos unes
más que nosotros mismos nos unimos
de propio impulso.
Si algún día el amor desde el recóndito
cáliz del corazón brota a los pechos,   205
tiembla en la boca,
irradia por los ojos,
y el hombre en ansia de hombre
busca a su hermano;
si algún día se posa   210
nuestra pobre hermandad en las entrañas
de cada hombre,
entonces esta fábrica
de las vastas ciudades
se ajará como flor que dio su fruto   215
y acabará la tierra
por ser el Paraíso.

    i...Ajo!, oigo exclamar, vuelvo la cara
al sentir que me rompe
la soledad ese brutal acento;   220

la patria me saluda
con su voz más doméstica
cuando en ella soñaba
mecido en el aroma de los tilos...
¡...ajo! Es la patria   225
la que encontramos hecha,
la que vive, la histórica, es España...
Bien, ¿y la otra?
Adiós, tilo agorero,
adiós, perro mi amigo,   230
vuelvo a la muchedumbre
que no conozco
ni me conoce.

                         Porto, 1 y 2-VII-1906

CANTA LA NOCHE

Asomándose al cielo de la selva
escuchan las estrellas en silencio,
del ruiseñor el canto, voz alada
de las entrañas de la noche augusta.
Cantan amores al abierto cielo   5
que cierra el sol, al alba, con sus llaves
de oro encendido; cantan las tinieblas.
Canta la noche; arrulla el sueño dulce[1]
de los rendidos hijos de la vida
y en su regazo los acoje a todos   10
bajo una sola manta negra y suave.
Sombra no se hacen entre sí los seres,
ni luchan por la luz; todos se abrazan
en el regazo de la buena madre.
Canta la noche; arrulla el sueño dulce   15
de los rendidos hijos de la vida;
canta la noche, y con su canto vierte
un dulce olvido en los llagados pechos;
canta la noche y con su canto lava
las visiones que al alma congojosa   20
le metió bajo el sol que el cielo cierra
el silencio mortal del medio día.

---

[1] García Blanco —creo que equivocadamente— ha transcrito así el verso:
Canta la noche, y con su canto vierte, que carece de sentido en el contexto. Además ni en *MUP,* ni en *O. C.,* XIII, se refiere para nada a este poema. Creo, pues, que se sustituyó el verso 8 del original por el 17 (que sí tiene sentido), que comienza igual.

Narrativas

BESO DE MUERTE

Iba a besarla cuando, grave, el padre:
«¡Niño!» Y ella,
alzando aquellos ojos
henchidos de hermosura y de tristeza
con los pálidos labios exangües   5
¡la pobre enferma!
susurró dulcemente:
«Muerte, hijo mío, en mi boca se cela...
bésame con los ojos, de lejos,
así, con los ojos, mi prenda!»   10
Y surcaron sus blancas mejillas hundidas
dos lágrimas lentas.
«¿Llevarán la muerte,
di, también ellas?»
Y del hombre los ojos severos   15
se anegaron en pena,
y surcaron también sus mejillas
lágrimas llenas.
«¿Quién sabe si bebió ya de mi boca
el jugo que envenena,   20
quién sabe si a su rastra el pobre pronto
ha de seguir mi huella?
¿por qué morir tan joven,
al verdecer la tierra?
Dime, tú que escudriñas   25
del misterioso cuerpo la entretela,
¿qué oscura sombra es ésta que me arrastra
que mi mirada vela?
Morir así, esparciendo
la muerte en derredor... Espera...   30
sí, ya pasó... creí que me moría...
al empezar la vida... pasajera...»
«No te acongojes... calla...»
«Sí, está bien, hasta el hablar me vedas...»

«No, mujer, si no es eso...»   35
«Deja que en paz me muera,
en paz y a gusto... sin tropiezos...»
«Habla, sí, di, mujer, di cuanto quieras...»
«Decir... decir... y dime... no me atrevo...»
«Y ¿por qué no? ¿Qué quieres? Sé sincera...»   40
«Una vez... sólo una vez ¿qué importa?
¡ay, qué poco me queda!
Por una vez ¿qué riesgo correrías?
¡Ah, no me atrevo... deja...!»
Y al borde de la muerte su mirada   45
súplica era de amor, ¡toda una queja!
Y él sintió sus entrañas
que se fundían en piedad extrema;
dobló la frente,
juntóse húmeda boca a boca seca,   50
y un largo beso
llevó como viático la enferma.
Y al levantar su boca, acongojado,
dejó a la otra muerta.
«Si en él bebí la muerte —pensó el hombre—   55
¡bendita sea!»

MUERE EN EL MAR
EL AVE QUE VOLÓ DEL BUQUE

Me duelen las alas rendidas del vuelo,
el pecho me duele; arriba está el cielo
   y abajo está el mar.

No veo ya el buque ¿por qué de él saliera
creyendo a la isla de paz duradera   5
   poder arribar?

El cielo callado no ofrece ni rama
que pueda tenerme y fiero el mar brama;
   ¿por qué te dejé?

Ni en aire ni en agua posible es posarme,   10
las alas me duelen; el mar va a tragarme
   ¡y muero de sed!

Las alas me duelen, la sed me enardece;
ya casi no veo; la Esfinge me ofrece
   sus aguas sin fin.   15

Y el canto de cuna, me canta la tumba
y espera cantando que pronto sucumba;
   tragarme ella en sí.

Volando, volando, no encuentro un islote,
ni un tronco perdido; y el viento es mi azote;   20
   no puedo posar.

Las olas traidoras, sus crestas me brindan
que fingen peñascos, que tal vez me rindan,
   me logren tragar.

Son olas traidoras, del cielo las crestas,   25
pedrisco tan sólo soportan a cuestas,
          en su cerrazón.

Nos mienten sus flancos; les falta sustento;
en ellos no puedo posada un momento
          cobrar corazón.   30

Aire sólo arriba, sólo agua debajo,
yo sólo mis alas, ¡qué recio trabajo
          éste de volar!

¿Por qué, oh dulce buque, dejé tu cubierta,
volando a la patria que encuentro desierta,   35
          de la inmensidad?

Mi buque velero, soñé en tus cordajes,
del bosque nativo los dulces follajes,
          el nido de amor.

Tus velas me dieron su sombra y su abrigo,   40
dejé tu cubierta ¡qué duro castigo
          me aguarda, Señor!

Me duelen las alas, ¡ay!, me duele el pecho,
y terribles ganas —¡abajo está el lecho!—
          siento de dormir;   45

de dormir el sueño de que no se vuelve,
mi encrespada cama cómo se revuelve;
          ¿qué será de mí?

Ahora mar encima, cielo abajo veo
todo ha dado vuelta, menos mi deseo;   50
          ¡fuerza me es volar!

Sobre mí el océano siento se embravece,
a mis pies el cielo tiéndese y me ofrece
          su seno de paz.

Sobre mi cabeza ruedan ya las olas,   55
ved que yo me muero, que me muero a solas,
        ¡sin consolación!

Oh qué hermoso cielo veo en el abismo;
¿si será aquél cielo? ¿Si será éste el mismo?
        ¿Si será ilusión?   60

Va el cielo a tragarme; ¿es que subo o caigo?
¿Es que me desprendo, o es que prendo arraigo?
        ¿Es esto morir?

¿Dónde está el abajo? ¿Dónde está el arriba?
¿Es que estoy ya muerta? ¿Es que estoy aún viva?   65
        ¿Es esto vivir?

¡Oh, ya no me duelen, ved, sobre ellas floto,
la cabeza hundida, y en el pecho roto
        me entra entero el mar!

Voy en él durmiendo, voy en él soñando,   70
voy en él en sueños, volando, volando,
        sin jamás parar.

QUEJAS DE LA ESPOSA

Cuando te pones de hinojos
el corazón se me ensancha;
alza a la Virgen tus ojos,
    ojos sin mancha,
reza conmigo, mi amor.   5

Reza por él, porque vuelva
a mi jardín recojido,
en lo peor de la selva
    lucha perdido,
tras hechizo engañador.   10

Pide hijo mío, a mis brazos
la dulce Virgen le traiga;
de la hechicera en los lazos
    pide no caiga
reza, hijo mío, con fe.   15

Oh, te engendró en mi cariño,
¡de mis recuerdos tesoro!
calla, no llores, mi niño...
    si es porque lloro,
¡yo contigo lloraré...!   20

Entre lágrimas mezclemos
mi pesar y tu inocencia,
tal vez así lograremos
    de la clemencia
del Señor le torne a paz.   25

Tú no sabes porque lloras,
si no lloras por mi llanto,
llegarán las tristes horas
    de tu quebranto
y lo que hoy lloras sabrás.   30

Reza tú que no conoces
el peligro que te amaga,
oye mejor Dios las voces
    a que no estraga
de la dicha el interés.   35

Reza tú, limpio cordero,
reza conmigo, hijo mío,
pide le vuelva al sendero
    vera del río
donde sus penas lavé.   40

Del río de la costumbre
sola fuente de sosiego,
pide a la Virgen le alumbre
    ¡pobre, está ciego!
pide que le vuelva a mí.   45

Y que en mis brazos olvide
sus fugitivos ardores,
pide que siempre el que pide
    por ley de amores
vence y logra recibir.   50

Los besos con que hoy te besa
llevan veneno y mancilla,
y en ellos sucia pavesa;
    por lo sencilla
no mancha a tu alma su ardor.   55

Cuando te besa bien veo
cómo tus ojos me miran,
tú no lo sabes, mas creo
    que ellos suspiran
mientras sonríes, mi amor.   60

Torpes votos me provoca
de rencor mi desventura...
reza tú, porque en tu boca

pura se apura
la oración de toda su hez.   65

Lleva a la Virgen mis duelos
en alas de tu pureza
reza alegre, que en los cielos
     es mi tristeza
de la carne pequeñez.   70

Reza, hijo mío... ¿Sonríes?
Así te quiero, risueño...
(Corazón, no desconfíes
     de que tu dueño
si te esfuerzas, vuelva a ti.)   75

Levántate ya, hijo mío,
que estoy serena y tranquila,
¿no ves que también sonrío?
     ya no vacila
mi pobre fe, ¡ya vencí!   80

Ven a mis brazos, mi prenda,
quiero en los ojos besarte...
Contigo al lado en mi senda,
     Dios de mi parte,
¿qué me importa lo demás?   85

Y ahora vete, corre, canta...
¡Adiós!... Ya se fue... ¡Me muero!
¿Hasta cuándo, Virgen santa,
     pesar tan fiero?
Me muero... ¡no puedo más!   90

EL CIPRÉS Y LA NIÑA*

Junto a la verde albahaca
está la triste niña
el codo en el alféizar,
la rosada mejilla
descansando en la mano   5
y clavada la vista
de la calle en el fondo,
donde en el cielo linda
la cerca del convento
tras de la cual estira   10
un ciprés solitario
su negrura nativa.
Está a ver cuándo llega,
esperando la cita.
Hace ya largo tiempo   15
que sueña, aguarda y mira,
el codo en el alféizar,
la rosada mejilla
descansando en la palma
de la mano y perdida   20
la mente soñadora
tras del ciprés, la niña.
¿Quién, cuándo, dónde y cómo
a la triste dio cita?
¿Quién? Ella no lo sabe;   25
¿cuándo? En los dulces días
en que perdió la infancia
al recojer la vida;
¿dónde? En el medio mismo
del alma ya intranquila;   30
¿cómo? ¿Con qué palabras?

---

* Para la fecha, *vid. MUP*, pág. 104.

¡Sin palabras! Suspira
desde el fondo del pecho
y aguarda, ¡cuitadilla!
Cuando el sol la despide   35
llevándose otro día,
del ciprés la negrura
con su arrebol aviva.
En el cielo encendido
severo se perfila   40
como columna trunca
resto de alguna ruina,
y parece decirle:
ten paciencia, ¡hija mía!
Sobre él pasan las nubes   45
como pasan los días,
y el galán de los sueños
no acude, no, a la cita;
y entre tanto atalaya
el ciprés la campiña.   50
Mirándole amorosa
la pobre le decía:
mi negro centinela,
cuando llegue, me avisas,
avísame si duermo,   55
no me dejes dormida,
despiértame si pasa,
que se me van los días
y se me va con ellos
la esperanza de dicha.   60
Y el ciprés esperaba
y esperaba la niña
y el galán esperado
tanto esperar se hacía
que dio en pensar la pobre   65
en la huerta tranquila
que detrás de la cerca
su reposo le brinda.
Se encerró en el convento
buscando allí la dicha   70

que en el mundo no hallaba,
esperando la cita
del galán de los cielos,
esperando rendida
que el Esposo Divino 75
la llamara algún día.
Y allí todas las tardes
se sentaba la niña
del ciprés a las plantas,
el codo en la rodilla, 80
en la pálida mano
la pálida mejilla,
y la mente que sueña
en los cielos perdida.
Y al ciprés confidente 85
la pobre le decía:
¡mi negro centinela!,
cuando baje me avisas,
avísame si duermo,
no me dejes dormida, 90
despiértame si pasa,
que se me van los días
y se me va con ellos
la esperanza de dicha.
Y el ciprés le responde: 95
¡ten paciencia, hija mía!
Con paciencia murióse,
de esperar se moría,
y al pie del árbol negro
le dan tierra bendita. 100
Y allí espera la pobre,
allí espera dormida
a que por fin le llegue
la hora de la cita.
Y en las serenas tardes 105
de los tranquilos días
cuando el sol al ponerse
los cielos encarmina,
el ciprés solitario

que a la infeliz cobija   110
parece susurrarle:
¡ten paciencia, hija mía!
¿Y la albahaca? Se hiela
una mañana fría
en que un galán que pasa   115
en busca de la dicha
al levantar los ojos,
hambrientos de la niña,
se encuentran, bajo el cielo,
la ventana vacía.   120

                    [1906]

SÍSIFO*

κατὰ δ' ἰδρὼς
ἔρρεεν ἐκ μελέων, κονίη δ'ἐπ κρατὸς ὀρώρει.

Odisea, XI, 599-600

Siglos de siglos la maldita roca
volteó, abrumado, hasta la cumbre Sísifo;
con el roce molíala, y en polvo,
que coronaba en nube su cabeza,
la iba esparciendo sobre el suelo el viento   5
que enjugaba el sudor que el cuerpo baña
del condenado. Y la montaña misma,
la de empinada cresta, se embotaba
como diamante a friega de diamante.
Vencedor del suplicio, está el soberbio   10
descansando —¡descansa al fin!— tendido
de una colina sobre el lomo suave,
con paz respira y en la mano tiene
un rodado pedrusco con que juega
como con una taba juega un chico,   15
y en el cielo sus ojos silenciosos
fijando sin rencor, decir parece:
¡Se acaba todo, oh Jove, hasta la pena!

[1906]

---

* Muy poca diferencia hay entre éste y el texto que Unamuno envió a Azorín el 17 de noviembre de 1906 *(MUP*, pág. 95). Corrijo el original griego del lema, mal transcrito por Unamuno y con referencia parcialmente errónea, de acuerdo con la edición de Tomas W. Allen, *Odysseae*, III, Oxford, 1967.

241

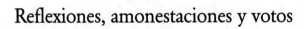

Reflexiones, amonestaciones y votos

Haga Dios que del mundo en las mudanzas
　　las dulces esperanzas
con que hoy tu pensamiento se gloría
séante al cabo, en apacible invierno
recuerdos aún más dulces todavía   5
que te acompañen en el viaje eterno.

[1903]

PORTAZOS

Mira, no me des portazos
eso de nada te sirve,
¿o crees tú que mis reproches
a esos golpes habrán de irse?
Cierra la puerta mansito,   5
ciérrala con mano humilde,
siéntate aquí, junto al fuego
y dime ahora, ¿qué me dices?
Sí, sí, ya sé que de noche
tu corazón queda triste,   10
ciérralo, pues, mas sin llave
por si acaso algo le aflige.
Si la congoja le prende
y palpitando te pide
socorro en las altas horas   15
¿cómo has de entrar a asistirle?
Entorna no más su puerta,
que por la rendija filtre
la luz del alba piadosa
cuando el sol el cielo viste.   20
No así te cierres por dentro,
no andes trazando deslindes;
el poner puertas al campo
sabes bien para qué sirve.
Echa esas llaves al río;   25
el amor al alma ciñe
con cinto que aun siendo fuerte
es a la vez muy flexible.
Sin dar portazos de enojo
puedes mostrarte muy firme,   30
que esos amagos de engaño
sabes bien que no me rinden.

VENCIDO

«¿Y qué hacer —me decía—
si no tiene remedio...?»
Y yo entonces le dije,
por vía de consuelo:
—«Llorar, pues no lo tiene;   5
gritar a todo pecho.»
—«Ah, es que Dios no oye...»
—«¿Que no oye? ¡Pues por eso!
Llorar, gritar, dar voces...»
—«Es voz en el desierto...!»   10
—«Abrámosle el oído
a fuerza de lamentos,
gritemos noche y día,
padece fuerza el cielo...»
—«Oh, ni aun así tampoco...   15
morir... no hay más remedio...»
—«¿Morir? ¡Luchar sin tregua!
¡Sitiemos al misterio!»
—«¡Luchar sin esperanza...!»
—«¿Sin esperanza? Tengo   20
como esperanza última
la del final sosiego
en pos de la derrota.»
—«¿La derrota? No quiero
ser vencido.»   25
                      —«Es más dulce
descanso, más sereno,
vivir en el seguro
firme del vencimiento
que no en la incertidumbre
del que dice: ¡no quiero!»   30
—«¡La derrota es la muerte!»
—«No, sino el santo término
de vida noble y alta;

¡es la flor del denuedo!
Vencer o ser vencido: 35
¡esto es ser hombre entero!
¡Ser hombre, ser más que hombre!
¡Ser digno del Eterno!
Y ser por Dios vencido...
¿cabe mayor extremo   40
de gloria y de victoria?»
—«A quien Dios vence, temo...»
—«¿Qué temes, hombre flaco,
no ya vencido, yerto?
Dios a quien vence mete   45
por su mano en el seno
de la eterna victoria;
¡levántate, luchemos!»
—«¡Levántate, me dices,
levántate!... ¡No puedo!»   50
—«¿Poder? ¡Pide a Dios fuerzas!»
—«¿Contra Dios?»
               —«¡Por supuesto!
Él te dará las armas
del combate supremo,
pues para conquistarnos   55
quiere que le asaltemos.»
—«Oh, déjame, no insistas,
que yo luchar no quiero...»
Y yo entonces le dije:
—«¡Ni siquiera estás muerto!»   60

MÚSICA*

¿Música? ¡No! No así en el mar de bálsamo
me adormezcas el alma;
no, no la quiero;
no cierres mis heridas —mis sentidos—
al infinito abiertas,   5
sangrando anhelo.
Quiero la cruda luz, la que sacude
los hijos del crepúsculo
mortales sueños;
dame los fuertes; a la luz radiante   10
del lleno medio día
soñar despierto.
¿Música? ¡No! No quiero los fantasmas
flotantes e indecisos,
sin esqueletos;   15
los que proyectan sombra y que mi mano
sus huesos crujir haga,
son los que quiero.
Ese mar de sonidos me adormece
con su cadencia de olas   20
el pensamiento,
y le quiero piafando aquí en su establo
con las nerviosas alas,
pegaso preso.
La música me canta, ¡sí!, ¡sí!, me susurra   25
y en ese sí perdido
mi rumbo pierdo;
dame lo que al decirme ¡no! azuce
mi voluntad volviéndome
todo mi esfuerzo.   30
La música es reposo y es olvido,

_____

* Traducción inglesa de Turnbull (1952) y francesa de Stinglhamer (1953).

todo en ella se funde
fuera del tiempo;
toda finalidad se ahoga en ella,
la voluntad se duerme
falta de peso.

ORIENTACIÓN

¿Orientarse? La paloma
sube al cielo cuando quiere
tomar rumbo; el horizonte
todo otea, y de repente,
recto y firme y bien seguro   5
como un dardo el vuelo emprende.
¿Orientarse? La gallina
presa al suelo, de ala inerte,
del corral en que naciera
poco o nada el paso mueve,   10
picotea en tierra el grano
y en la percha el sueño prende,
y así sin pena ni gloria
nace, crece, cría y muere.
¿Orientarse? Desde el cielo   15
se descubre, claro, oriente;
y entre breñas y malezas
su luz divina se pierde.
Si queremos orientarnos
cara al Sol, que al alma enciende,   20
levantemos nuestro vuelo
dejando al grano perderse
de vista mientras buscamos
envueltos en luz, oriente.
Y cuando allá desde el cielo   25
nuestro rincón como leve
mota se funda en la vasta
redondez que se nos muestre
flotando en el cielo mismo,
que la ciñe y la sostiene,   30
columbraremos la cuna
del Sol del alma, encenderse.

[6-XI-1906]

LAS SIETE PALABRAS Y DOS MÁS*

«Mi paz os dejo», dijo aquel que dijo
«no paz he traído al mundo, sino guerra»;
sobre la cruz en paz murióse el Hijo
y envuelta en guerras nos dejó la Tierra.

«Mi paz os dejo» y es la paz de dentro,   5
bajo la tempestad calma en el fondo;
y esa paz, buen Jesús, ¿dónde la encuentro?
¿Dónde el tesoro de mi amor escondo?

Dura, Jesús, la guerra que trajiste,
y se perdió la paz que nos dejaste;   10
tu paz, manso rabino, ¿en qué consiste,
ya que el sereno Olimpo nos cerraste?

«Perdónalos, Señor, son ignorantes
de lo que haciendo están», y en ti fiados,
siguen haciendo lo que hacían antes   15
de Tú venir, y se hacen desgraciados.

«Hoy entrarás conmigo en la morada
de mi Padre», y confuso su sentido,
deja para el morir tomar la estrada
que lleva a la virtud, cualquier bandido.   20

«Tengo sed» y a la fuente de ventura
subiste, buen Jesús, y acá en el suelo
muertos de sed quedamos, y en la horrura
se enfanga el agua que nos manda el cielo.

«Mira, mujer, tu hijo; tú, tu madre»   25
a María y a Juan fue tu consejo;

---

* Para la fecha y variantes de los textos de 1906 y 1907, *vid. MUP,* pág. 94.

¿dónde nos dejas, di, dónde al buen Padre
en que te viste tú como en espejo?[1]

«¿Por qué, Señor, me has abandonado?»
Y ¿por qué tú, Jesús, así nos dejas?   30
Mira que vamos como va, dejado,
sin pastor, al azar, hato de ovejas.

«¡Encomiendo mi espíritu en tus manos!»
y tu respiro se fundió en la gloria,
y sin él aquí abajo tus hermanos   35
cuajan con sangre y lágrimas la historia[2].

«Está acabado» fue, al morir, tu grito;
así tu obra acabó, Maestro Sublime;
hoy nuestra voz se pierde en lo infinito;
y ahora, buen Jesús, ¿quién nos redime?   40

[1906]

---

[1] En *O. C.*, XIII, pág. 399, se lee *su espejo*, que no tiene justificación en ningún sitio.
[2] La lectura de *O. C.* es mala, y sin apoyo en las variantes de *MUP*, pág. 94.

ΓΝΩΘΙ ΣΕΑΥΤΟΝ[1]

«Conócete a ti mismo»; el pensamiento
de la divina Grecia
culminó en esa flor sus enseñanzas,
¡la rosa de la ciencia!
«Conócete a ti mismo», y este mismo   5
fuera de mí se encuentra,
soy en mí mismo Dios, Dios me ha traído,
y es Dios quien me sustenta;
Dios conmigo se funde, y en mi seno
mi vida toda llena.   10
Llegar a mí no puedo si no paso
por su divina esencia;
entraré cuando muera en mi secreto,
a Dios conoceré cuando me muera.

---

[1] El original leyó mal, pero corrijo de acuerdo con la sabida máxima délfica.

NO ERES TUYA*

No eres tuya, no eres tuya; no recuerdas;
no te quieres, no te quieres, pobre niña,
y si no recuerdas, ¿dime, cómo quieres
    llamar tuya a esa tu vida?

Esa tu alma —así la llamas—, niña, dime,   5
si en tu pecho de recuerdos no es tejida
¿cómo es alma? ¿Cómo es tuya? ¿Cómo vive?
    ¡Vives muerta, pobrecilla!

Llegará un día muy triste, no lo dudes,
en que llores en silencio de agonía   10
porque no puedas querer a quien te quiera
    y ¡ay de tu alma en aquel día!

Buscarás en las honduras de tu pecho,
llanto tierno como riego de la dicha,
seco encontrarás el corazón y ¡muerta   15
    la corriente de la vida!

No te quieres, no te quieres, desgraciada,
y si no sabes quererte, pobre niña,
cuando de otros el cariño necesites
    será la hora ya tardía.   20

Búscate alma en el recuerdo y serás tuya,
nunca olvides, nunca olvides, que el que olvida
pierde el alma y no la encuentra, y es su muerte
    al morir definitiva.

[1906]

---

* Hay dos versiones del poema, sin variantes *(MUP,* pág. 103).

DICES QUE NO ME ENTIENDES...*

Dices que no me entiendes...
y ¿qué importa, bien mío?
tampoco yo te entiendo,
y tengo tu cariño.

Si ante ti está mi mente   5
cercada en grueso muro,
en cambio aquí te traigo
mi corazón desnudo.

Yo no sé lo que piensas
y aun si piensas ignoro,   10
me basta que tu pecho
se me haya abierto todo.

La mente es infinita,
el corazón eterno,
aquí en tu rinconcito   15
por siempre viviremos.

[1906]

---

* La fecha, por una carta a Azorín *(MUP,* pág. 104).

AL PIE DEL SAUCE*

Aquí al pie del sauce,
viendo correr las aguas
apuraré en mi pecho
las penas de mi patria.
Aquí, al pie del sauce   5
la historia de mi España
recorreré en olvido
de lo que en ella hoy pasa.
Enfrente, en la otra orilla,
un pescador de caña   10
me da cumplida imagen
de eso que llaman «masa»,
del desdichado pueblo
que ni odia ya ni ama.
Aquí, al pie del sauce,   15
veré correr las aguas
por si ellas una cuna
trajeran de pasada,
cuna en que el cielo un niño
dormido nos mandara,   20
y es el Moisés que a todos
nos finge la esperanza,
el Moisés que nos saque
de esta tierra encantada,
y nos lleve al desierto   25
donde Dios nos aguarda.
Y un día desde el monte,
en radiosa alborada,
muriéndose de viejo,
les muestre en lontananza   30
brillar a nuestros nietos

---

* Traducida al holandés por G. J. Geers (1935). Para la fecha, *vid. MUP*,
pág. 98.

la tierra deseada,
les muestre bajo el cielo
nacer, por fin, la patria.
Aquí, al pie del sauce   35
veré correr las aguas,
mientras en ellas pescan
los pobres su mañana,
y esperaré que el cielo
la patria, al fin, nos abra.   40

[1906]

Incidentes afectivos

A SUS OJOS

Mansos, suaves ojos míos,
tersos ríos
rebosantes de quietud;
al beber vuestra mirada   5
sosegada
llega mi alma a plenitud.
Sois, mis ojos, viva fuente
sonriente
de que fluye vivo amor;
al tomar vuestra luz pura   10
es dulzura
cuanto amáis en derredor.
Me miráis, ojos de mi alma,
con la calma
con que mira el cielo al mar,   15
con bendita paz serena
toda llena
de la dicha de esperar.
En vosotros se depura
toda horrura   20
que prenda en mi corazón,
en vosotros se serena
mi honda pena
y vuelvo a resignación.
Oh mis dulces dos luceros   25
manaderos
de la luz que a Dios pedí,
Dios por vosotros me mira
y respira
por vosotros Dios en mí.   30
Cuando mi alma va perdida,
sin salida,
del mundo en la confusión,
al miraros en los míos

261

me da bríos   35
vuestra dulce y casta unción.
Cuando llegue a mí la Muerte,
¡trance fuerte!,
y apague mi loco afán,
a la luz de esas pupilas   40
tan tranquilas
mis congojas dormirán.
Y al sonarme la partida
tan temida
el Ángel de Libertad,   45
tomaré en vosotros puerto
siempre abierto,
al mar de la eternidad.
Brizará aquel recio día
mi agonía   50
de tu mirada el cantar
llevándome silencioso
al reposo
del sueño sin despertar.
Se hundirán mis pobres ojos,   55
luego flojos,
en los tuyos al morir,
y de allí alzarán su vuelo
hacia el cielo
en que a muerte va el sentir.   60
Y en los ojos del Eterno,
Padre tierno,
de vuelta al eterno hogar,
gota de lluvia en oceano
soberano   65
se habrá mi alma de anegar.
Oh mis ojos, sólo quiero
sólo espero
que al volar de esta prisión
me guiéis hasta perderme   70
donde duerme
para siempre el corazón.
Y si a ti, mi compañera,

te cumpliera
de este mundo antes partir, 75
la luz toda de mis ojos,
luego rojos,
con los tuyos se ha de ir.
Llevarás a la otra vida
derretida 80
de mis entrañas la flor
y de Dios al seno amigo
va contigo
de tu amor preso mi amor.
Y en la noche de este mundo, 85
errabundo
veré tus ojos brillar
cual luceros de esperanza,
de que alcanza
libertad quien sabe amar. 90
Oh mis ojos, sólo quiero,
sólo espero,
que al volar de esta prisión
me llevéis hasta perderme
donde duerme 95
para siempre el corazón.
Oh mis dulces dos luceros
mis veneros
de la paz que a Dios pedí,
Dios por vosotros me mire 100
y respire
por vosotros Dios en mí.

[26-X-1905]

EN LA MUERTE DE UN HIJO*

Abrázame, mi bien, se nos ha muerto
    el fruto del amor;
abrázame, el deseo está a cubierto
    en surco de dolor.

Sobre la huesa de ese bien perdido   5
    que se fue a todo ir
la cuna rodará del bien nacido
    del que está por venir.

Trueca en cantar los ayes de tu llanto,
    la muerte dormirá;   10
rima en endecha tu tenaz quebranto,
    la vida tornará.

Lava el sudario y dale sahumerio,
    pañal de sacrificio,
pasará de un misterio a otro misterio,   15
    llenando santo oficio.

Que no sean lamentos del pasado
    del porvenir conjuro,
bricen, más bien, su sueño sosegado
    hosanas al futuro.   20

Cuando al ponerse el sol te enlute el cielo
    con sangriento arrebol
piensa, mi bien: «A esta hora de mi duelo
    para alguien sale el sol.»

Y cuando vierta sobre ti su río   25
    de luz y de calor

---

* Traducida al francés por Louis Stinglhamer (1953).

264

piensa que habrá dejado oscuro y frío
algún rincón de amor.

Es la rueda: día, noche; estío, invierno;
la rueda: vida, muerte...   30
sin cesar así rueda, en curso eterno,
¡tragedia de la suerte!

Esperando al final de la partida
damos pasto al anhelo,
con cantos a la muerte henchir la vida,   35
tal es nuestro consuelo.

LA HUELLA DE SANGRE
DE FUEGO

¡Seguidme! ¿Qué? ¿No veis la ruta acaso?
¿No oís mi voz? ¿Tembláis ante el desierto?
¿Las estrellas no veis? ¡Va vuestro paso
    sin rumbo cierto!

«¿Dónde está —respondéis— dónde el camino?   5
No bien pasas se borran de él tus huellas,
¡y no hemos de esperar nuestro destino
    de las estrellas!

Siembra algo en él, pues vas tú muy de prisa
clava de trecho en trecho piedra de hito   10
buscárnoslo equivale a la requisa
    del infinito.»

Pero es que aquí nada tengo ahora a mano,
nada con que marcaros vuestro rumbo;
habréis de caminar al azar vano,   15
    de tumbo en tumbo.

Pero, sí, esperad, traigo un cuchillo,
sangre en el corazón, fuerza en el brazo,
señalaros sendero me es sencillo,
    con firme trazo.   20

¿Lo veis? Con él me rasgo las entrañas,
las derramo fundidas por el suelo,
conmigo irá la huella, a las montañas,
    ¡subirá al cielo!

De mi sangre podéis seguir el hilo,   25
por donde voy sangrando es la vereda,
y allí donde yo muera, es vuestro asilo,
    allí la queda.

Voy sembrándome yo todo y entero
por llano, monte, piedras, polvo y lodo,   30
yo, yo mismo, yo soy vuestro sendero,
    ¡tomadme todo!

De la divina estrella que es mi norte
la luz toda en mi sangre aquí os dejo,
¿no la veis cómo brota? ¡No os importe!   35
    ¡Yo soy su espejo!

Nunca, alma desdeñosa, tú, cobarde,
buscaste adormecerte en el sosiego;
¡deje tu corazón que en sangre arde
    rastro de fuego!   40

Agua sacó Moisés de seca roca,
yo quiero con mi sangre marcar hierra,
fuego quiero que caiga de mi boca
    sobre la tierra.

Sangre de fuego que la roca escalda...   45
¿La montaña os estorba? Mi trabajo
de dolor me costó, mas ved su falda
    quebrada en tajo.

Esa estrella que allá, desde la cumbre,
frío apagado os manda su destello   50
metióme al corazón toda su lumbre,
    ¡sangra por ello!

—«Una de tantas; —me decís— se anega
su luz del cielo en el inmenso coro.»
No sabéis ver; la inmensidad os ciega   55
    con polvo de oro.

Vosotros no tenéis estrella propia;
la polar, a su vez, se os oscurece;
tenéis que caminar sobre la copia
    que en mí florece.   60

Quien su estrella no ve si se hace día,
ni de su dulce luz siente la brasa
dentro el pecho, no puede ése ser guía,
quédese en casa.

Os dejo de mi sangre en el reguero   65
la luz, cernida en mí, de esa mi estrella,
ved cómo a quien debéis vuestro sendero
no es sino a ella.

PARA EL HOGAR

Llegué empapado en agua de tormenta;
el mar bramando por sus miles de olas
buscaba presa y allá arriba el cielo
    fruncía hosco su frente   5
      de soberano.

Me hizo sentar junto a la llama viva
de una hoguera, atizóla cuidadoso
y en silencio, arrimó luego a la llama
    el casco renegrido
      de una olla rota.   10

El pábulo del fuego no era leña
de bosque, no sangraba como suele
sangrar la leña lágrimas de jugo
    cuando la escarba el fuego[1]
      por las entrañas[2].   15

Eran tablas, maderas que sirvieron
a los hombres; en ellas al quemarse
señales se veían de algún clavo
    y el clavo mismo a veces
      que se encendía.   20

Y allí cerca, en oscuro camarote
guardaba el solitario de la costa
viejas tablas, maderos carcomidos
    por los revueltos mares,
      con dejo humano.   25

Cojió un tablón con restos de pintura
y echólo al fuego, que subió de pronto

[1-2] Hay dos erratas en estos versos en la edición de *O. C*, XIII, pág. 416.

al sentir del aceite que aún vivía
deshacerse en su seno
la dulce lágrima.   30

Y a la luz de la hoguera embravecida
pude leer que la tabla agonizante
que su calor nos daba, en blancas letras
decía en fondo negro:
«Firme Esperanza.»   35

Interrogué a mi huésped con los ojos,
me comprendió y rompiendo su mutismo
«Son los restos —me dijo— de naufragios
que el mar en sus tormentas
echa a la playa.»   40

Y al fuego me acerqué mientras el madero
me daba su calor, y pensativo
vi sobre él, extenuado y moribundo,
crispándose las manos
al pobre náufrago.   45

Sobre él luchó, penó y oró aterido,
sobre él, muerto de sed, bebió el océano
con la mirada, viendo remolona
acercarse la muerte
sobre él murióse.   50

Un trozo de timón ardió enseguida,
y el leño que guió a la pobre barca
por los revueltos mares, en pavesas
fue pronto a calentarme
del fuego pasto.   55

Y vi cómo las olas al navío
tragaban, de las llamas contemplando
el ardoroso abrazo en que moría
del timón confidente
lo que duraba.   60

Así, pensé, se queman los recuerdos
a calentarnos en las noches tristes,
cuando empapado el corazón en agua
de tempestad del mundo,
tiembla de frío.   65

Así, con pobres restos de naufragios,
encendemos hogueras en las costas
y a sus llamas soñamos melancólicos
del mundo la tragedia
que no se acaba.   70

Y el mar no cesa, su cantar prosigue,
devora nuestras vidas y a la orilla
lanzando destrozados sus despojos
nos dice consolándonos:
«¡Encendeos con ellos el hogar!»   75

VERÉ POR TI*

«Me desconozco» dices, mas mira, ten por cierto
que a conocerse empieza el hombre cuando clama
   «me desconozco» y llora;
entonces a sus ojos el corazón abierto
descubre de su vida la verdadera trama;   5
   entonces es su aurora.

No, nadie se conoce, hasta que no le toca
la luz de un alma hermana que de lo eterno llega
   y el fondo le ilumina;
tus íntimos sentires florecen en mi boca,   10
tu vista está en mis ojos, mira por mí mi ciega,
   mira por mí y camina.

«Estoy ciega», me dice; apóyate en mi brazo
y alumbra con tus ojos nuestra escabrosa senda
   perdida en lo futuro;   15
veré por ti, confía; tu vista es este lazo
que a mí te ató, mis ojos son para ti la prenda[1]
   de un caminar seguro.

¿Qué importa que los tuyos no vean el camino
si dan luz a los míos y me lo alumbran todo   20
   con su tranquila lumbre?
Apóyate en mis hombros, confíate al Destino,
veré por ti, mi ciega, te apartaré del lodo,
   le llevaré a la cumbre.

---

* Traducida por E. Turnbull al inglés (1952). Para la fecha, *MUP*, pág. 81.

[1] *a ti* tiene documentación en lo que sabemos del texto.

272

Y allí, en la luz envuelta, se te abrirán los ojos   25
verás cómo esta senda tras de nosotros, lejos,
   se pierde en lontananza
y en ella de esta vida los míseros despojos
y abrírsenos radiante del cielo a los reflejos
   lo que es hoy esperanza.   30

[16-V-1906]

TU MANO ES MI DESTINO

Me faltan fuerzas para andar, apoya
tu mano en mi hombro y así, a su contacto,
    me volverán las fuerzas;
te llevaré por los caminos largos
    y marcharé seguro   5
    poniéndome a tu paso.
    Tu mano es mi destino;
la siento sobre mi hombro y de abrumado
    se torna más lijero
que si alas le nacieran por encanto.   10
    Cuando en mi hombro rendido
posas con dulce paz tu blanda mano
    parece que me elevas
    por encima del hado,
    el implacable,   15
Siento tu pulso en mí cuando tu mano,
    sobre mi hombro descansa,
siento tu corazón y de rechazo
siento mi corazón, el tuyo, el mío,
    de los dos, ¡nuestro esclavo!   20
    Tu mano es mi destino;
al sentir su apretón, es como un rayo,
    la vida me renace,
    yo te renazco.
Fuerzas me das, y luz, luz en las fuerzas   25
cuando en mi hombro te apoyas y el espacio
    se me abre, sin caminos,
    por todos lados.
    La luz la llevo dentro
    dentro va el faro   30
que se enciende al sentir sobre mis hombros
    de tu vida el contacto.
    Tu mano es mi destino;
cuando la siento en mí, rebosa el vaso

del corazón, su sangre
enciende, derríteme el cansancio
y a su luz el sendero
se me abre a todos lados.
Tu mano es mi destino.

PUNTUAL COMO EL LUCERO

Dice el galán, enfermo de muerte, a su dama:

  Ya estás ahí, puntual como una estrella
que a su hora sale,
marcha a su paso
y se pone cumpliendo su carrera;
ya estás ahí puntual como celeste   5
luminaria divina,
infundiendo confianza.
¡Siempre es puntual lo eterno!
Si la luna, si el sol tardase un día,
si no saliese   10
cuando el mundo lo espera
¡qué terror de locura
al mundo inundaría!
Y ¿qué vendrá después? sería el grito
del mortal espantado,   15
al ver rota la ley de la constancia.
¡Se rompió el orden! ¡Rompióse la cadena
que ata las horas!
¡El Sol falta a la cita!
¡El mundo va a morir entre portentos   20
de confusión y ruina!
¡Ya estás ahí, puntual como el lucero
de la mañana!
¡Ya estás ahí, vertiendo de los ojos
fe en lo imposible,   25
fe en la constancia!
Siglos ha que la estrella vespertina
surge a su hora,
y a su hora se pone;
¿qué busca? ¿Qué pretende?   30
¿De tal puntualidad cuál el objeto?
Yo no lo sé, pero esa su constancia

es fuente de consuelo para el hombre
que ve entre los que cambian
algo constante,   35
prenda de eternidad y de fijeza.
Antes que el hombre fuese
ya salía el lucero
puntual para la tierra
que vacía y desnuda le esperaba,   40
y cuando el hombre acabe
saldrá la estrella fiel por el oriente
triste y constante.
¡Ya estás ahí, puntual como el lucero
de la mañana!   45
¿Quién sabe si algún día
verás mi ocaso,
puntual como el lucero
de la mañana?

LIBERTAD FINAL

Dulce, sereno, reposado y triste
fue aquel día de amor en que muriera
la engañosa esperanza de la dicha:
basta el amor con el amor. La prenda
que es un don divino es la desgracia   5
que le acompaña siempre por la tierra.
Las horas graves que su ardor mis ojos
en la frescura apagan de la lenta
mirada de tus ojos de sosiego
son olas de delicia volandera   10
que al soplo del amor se van rodando
sobre el dormido mar de la tristeza.
Cuanto llega a su colmo es bien perdido
y es la vida verdura de promesa;
por haber, fieles, renunciado al fruto   15
nos es la flor, toda fragancia, eterna.
El resplandor sobre tu frente brilla
del misterio sin fin, de la sentencia
que al romper de los siglos el Eterno
sobre lo íntimo todo suspendiera.   20
Intangible el perfume se derrama
y el aire todo con su hechizo llena,
en tanto que la carne de la fruta
en tomo y bulto al gusto se condensa.
A todos por igual se da el aroma   25
y todos, sin porfía, de su esencia
pueden tomar en comunión de goce,
mas no cabe gozar de igual manera
de la fruta el sabor; si uno la gusta
fatal es que la envidia al otro muerda.   30
Come pan de centeno negro y duro
tendido al aire libre en la floresta
y el pan te sabrá a flores; el espíritu
a su imagen se forja la materia.

¿Que la doctrina es triste? No lo dudo,   35
pero dime, mi luz, ¿qué es lo que queda?
No dura más la carne que el perfume,
sólo goza del bien quien bien lo espera.
Y ¿quién sabe? Soñemos que no es sueño
la libertad final, cuando la tierra   40
como nube de incienso a las entrañas
de su Fuente de Amor suba deshecha.

AL PIE DEL ROBLE*

Al pie del roble aquel de la colina,
al pie del roble fue;
cuando le roza el viento del recuerdo
tiemblan las hojas de él.

Fue al pie del roble, qué, ¿ya lo olvidaste?   5
del viejo roble al pie,
de aquel que nos cubriera con su sombra
y que nos fue tan fiel.

Y al pasar junto al roble en primavera,
¡oh mi perdido bien!,   10
las verdes hojas a tu alma dura
¿no le tiemblan también?

¿Es acaso más dura ante el recuerdo
que la del roble aquel?   15
Al pie del roble aquel de la colina,
recuérdalo, ¡allí fue!

[1906]

_____

* Para la fecha, *vid. MUP,* pág. 102.

Incidentes domésticos

    Cuando he llegado de noche
todo dormía en mi casa,
todo en la paz del silencio
recostado en la confianza.
Sólo se oía el respiro,   5
respiro de grave calma,
de mis hijos que dormían
sueño que la vida alarga.
Y era oración su respiro,
respirando el sueño oraban,   10
con la conciencia en los brazos
del Padre que el sueño ampara.
Eres, sueño, el anticipo
de la vida que no acaba,
vida pura que respira   15
debajo de la que pasa.

[1906?]

* Traducida por Pomès al francés (1938), por Bo (1949) y Macrí (1952) al italiano, por Turnbull al inglés (1952).

Tendido yo en la cama,
como en la tumba,
a la espera del sueño;
y junto a mí, en su cuna,
yacía el niño,   5
y allá, en el fondo
—en medio un aposento—
bajo una lámpara
de mansa luz de verde derretido
tres formas columbraba,   10
encorvadas las tres y susurrando
ave-marías.
Eran mi madre, mi mujer, mi hermana
y era como si lejos
de este mundo y del otro, el que esperamos,   15
en el lindero.
Al través de los cuartos silenciosos
donde mis hijos
—perdida el alma de los cuerpos flojos—
yacían sumergidos   20
del reposo en el fondo,
pasaban los susurros
filtrándose en la calma de su aliento;
yo sin soñar soñaba;
¿es que estoy muerto?   25
Una visión de eternidad fingían,
un cuadro de pintura,
un símbolo de vida.
Sentí, allá en lo oscuro y en la cuna
a modo de un suspiro;   30
era que se movía
buscando al sueño nueva cara, el niño.
Y yo tendí mi diestra
para tocar su cuerpo
y cerciorarme así que las tinieblas   35
guardaban en su seno

a mi niño de bulto,
a mi niño de peso.
Y al sentir en mi mano
el calor de su aliento   40
pensé, casi soñando:
¡no, no estoy muerto!
Y en tanto las tres formas
inmóviles seguían y encorvadas
como una cosa sola,   45
y la luz de la lámpara,
también inmóvil,
e inmóvil el silencio,
y del ámbito todo
—diríase un incienso,   50
invisible, sonoro—
lentas surgían,
cual un rocío de la tierra al cielo,
ave-marías.
Sentí la eternidad... luego la nada.   55
. . . .
Al despertar, de día,
allá en las derretidas lontananzas
donde, por fin, se funden los recuerdos,
inmóvil, verde, la visión tranquila,
perdiéndose cantaba   60
ave-marías.

Es de noche, en mi estudio.
Profunda soledad; oigo el latido
de mi pecho agitado
—es que se siente solo,
y es que se siente blanco de mi mente—   5
oigo a la sangre
cuyo leve susurro
llena el silencio.
Diríase que cae el hilo líquido
de la clepsidra al fondo.   10
Aquí, de noche, solo, éste es mi estudio;
los libros callan;
mi lámpara de aceite
baña en lumbre de paz estas cuartillas,
lumbre cual de sagrario;   15
los libros callan;
de los poetas, pensadores, doctos,
los espíritus duermen;
y ello es como si en torno me rondase
cautelosa la muerte.   20
Me vuelvo a ratos para ver si acecha,
escudriño lo oscuro,
trato de descubrir entre las sombras
su sombra vaga,
pienso en la ángina;   25
pienso en mi edad viril; de los cuarenta
pasé ha dos años.
Es una tentación dominadora
que aquí, en la soledad, es el silencio

_____

   * Hay traducciones alemana —parcial— de Helmuth Johanni (1922), italianas de C. Bo (1949) y O. Macrí (1952) e inglesa de E. Turnbull (1952).
   Cfr. V. Beonio-Brocchieri, «Un sacrario dell'Umanesimo a Salamanca»,
Il Corriere della Sera, 6 de febrero de 1954; Aurora de Albornoz «Un extraño
presentimiento misterioso. (En los veinticinco años de la muerte de Miguel
de Unamuno)», *Ínsula,* núm. 181, diciembre de 1961.

quien me la asesta;   30
el silencio y las sombras.
Y me digo: «Tal vez cuando muy pronto
vengan para anunciarme
que me espera la cena,
encuentren aquí un cuerpo   35
pálido y frío
—la cosa que fui yo, este que espera—
como esos libros silencioso y yerto
parada ya la sangre,
yeldándose en las venas,   40
el pecho silencioso
bajo la dulce luz del blando aceite,
lámpara funeraria.»
Tiemblo de terminar estos renglones
que no parezcan   45
extraño testamento,
más bien presentimiento misterioso
del allende sombrío,
dictados por el ansia
de vida eterna.   50
Los terminé y aún vivo.

Noche Vieja de 1906

El niño se creía sin testigos,
dibujando en el hule
que cubría la mesa;
trazaba en ella un *tío* primitivo,
al modo de los toscos   5
diseños de las cuevas en que el hombre
luchara con el oso cavernario.
Y mientras animaba
los rasgos del dibujo prehistórico,
cantaba bajo: 10
«Soy de carne, soy de carne, no pintado,
soy de carne, soy de carne, verdadero.»
¡Maravilla del arte!
¡Hacía hablar al *tío*
y proclamar su realidad viviente!   15
¿Hace acaso otra cosa
el Artista Supremo,
al recrearse, niño eterno, en su obra?

«Yo quiero vivir solo
—Pepe decía—
para que no me peinen ni me laven.»
Y Marita al oírlo:
«¿Solo?, luego te pierdes   5
y luego lloras.»
Tal decían los niños
y pensé yo, su padre:
aquel que vive solo
se pierde, llora solo y nadie le oye;   10
y solo ¿quién no vive?
solos vivimos todos,
cada cual en sí mismo,
soledad nada más es nuestra vida;
todos vamos perdidos y llorando;   15
nadie nos oye.

No me mires así a los ojos, hijo mío,
no quiero que me arranques mi secreto,
y cuando yo te falte
sea el veneno de tu pobre vida.
Nunca, nunca la sombra de tu padre   5
te vele el sol de la alegría dulce.
¿Alegría te dije?
No, no te quiero alegre,
pues en la tierra
para vivir alegre   10
menester es ser santo o ser imbécil.
De imbécil, Dios te libre,
y de santo... ¡no sé lo que decirte!

---

* Fue traducida al francés por Mathilde Pomès (1938).

Anda, escarba el brasero
que aprieta el frío,
¡qué poco dura el sol en estos días!
¡Y pensar, hijo mío,
que el sol se hara ceniza   5
y en el cielo, de Dios la frente inmensa
será un *memento!*

Junto al fuego leía
Quintín Durward, mi hijo;
así también yo lo leyera antaño
y así mis nietos
habrán acaso de leerlo un día.   5
Y así vive Quintín como vivimos
nosotros, sus lectores.

* En una carta a Maragall, Unamuno da una impresión de lo que es su vida doméstica, aunque no haya coincidencias totales con lo que aquí se dice; véanse págs. 32-33.

Cosas de niños

EL COCO CABALLERO*

¡Dime quién te ha hecho pupa, hijo mío...!
Algún alma negra...
Ésta ¿dices? Eh, mala, malota,
por mi mano mi niño te pega.
Vamos, abre esa boca, querido,   5
tan rica y tan fresca,
no la aprietes, así, que te ahogas,
¡toma esto, mi prenda!
Tómalo, que si no te me mueres,
el Coco te lleva...   10
Mírale cómo viene montado
caballero en su jaca lijera,
caballo con alas
que corre... que vuela...
Un caballo me pides, ¿de carne?   15
Si tragas la perla
ya verás qué caballo te compro,
caballo que vuela,
que te lleve volando, volando,
volando, mi prenda...   20
¿Que te amarga me dices, mi niño?
Una caja de dulces te espera,
mas primero es preciso te cures
tragando la perla.

Oh, mi niño, mi niño, qué frío,   25
parece de cera...
¿Por qué, oh sol implacable, no abrasas
a mi pobre prenda?
Ese sueño sacude, amor mío,
¡despierta...! ¡Despierta...!   30

---

* Una versión anterior a la de *Poesías* fue publicada en la revista salmantina *Albores* (1901); las variantes quedaron registradas en *MUP,* pág. 38.

¿Dónde va de mi amor la primicia?
¡El Coco le lleva!

   ¿Cómo vino? Jinete en el Tiempo,
¡en el Tiempo, su jaca lijera...!
no veía... sus ojos horribles   35
vacíos... dos cuencas...
dos nidos de sombra...
por nariz una oscura tronera...
sólo dientes agudos su boca
que aguarda la presa...   40
una boca de risa que burla,
que mordiendo besa...
Caballero en la jaca con alas
se vino y le lleva
montado a la grupa,   45
se vino y le lleva
volando, volando, volando
¡mi niño!... ¡Mi prenda!

[1900]

MI NIÑO*

Sus ojos, sus ojos de cielo cerraba
al peso del cielo;
sonrisa en los labios,
sonrisa en los labios abiertos...
Las manos cruzadas,   5
cruzadas las manos,
quedóse mi niño dormido...
Y junto a la cuna, velando su sueño,
quedéme dormido,
velando a mi niño...   10
con mi sueño velando
su sueño tranquilo.
Soñé que subía,
subía yo al cielo
en alas llevado   15
de mi pequeñuelo,
de mi dulce niño.
Henchíame todo
el cielo infinito;
eran luz mis entrañas,   20
eran luz que llenaba mi cuerpo,
mi cuerpo rendido.
De negro y de oro
me vi revestido,
del negro de noche serena   25
y del áureo polvo que viste
el lácteo camino.
De mi niño en las alas deshice
de mi vida el curso,
remontando hacia atrás a los días   30
en que era yo niño.
En mi boca sentía ya el gusto

_____
* Traducida al italiano por Gerardo Marone (1917).

del pecho bendito,
¡y de pronto sentí *desnacerme*
tras leve quejido...!   35
En el cielo inmenso,
en el cielo inmenso quedéme absorbido
en el cielo inmenso,
¡en mi hogar celestial difundido...!
Y de pronto despierto con ansias...   40
¡lloraba mi niño!
Y me puse a cunarle cantando:
alma mía... mi niño... mi niño...

[1900]

RECUERDOS

Si ahora muriese yo, pobre hijo mío,
que hasta alcanzar un beso,
cual codiciado fruto, por mis piernas
trepas con dulce anhelo,
hablándome del mítico futuro   5
en que seas tú grande y yo pequeño;
si ahora muriese yo se borraría
de tu mente el recuerdo
de la figura paternal. Mi imagen
hundida de tu espíritu en el lecho,   10
de impresiones diversas el torrente
anegaría presto.
Niño era como tú cuando mi padre
dio su postrer aliento
y de su imagen en mi mente queda   15
sólo débil reflejo,
unido al raro choque que causara
en las entrañas de mi virgen seso
oírle conversar con un extraño
en idioma secreto,   20
oírle hablar en extranjera lengua...
¡Cuán hondo fue el efecto
para mi alma infantil tierna y sencilla
vislumbre de misterio,
del milagro incesante del lenguaje   25
fugitivo destello!
¡Así en las nieblas de mi albor lejano
de mi padre dilúyese el recuerdo
de aquella escena en que me hirió la mente
con el ámbito envuelto!   30

Mas no importa, hijo mío, hijo del alma,
la fe me da consuelo,
mi fe robusta de que nada muere,

de que todo a posarse va a lo eterno,
de que al morir toda visión desciende   35
a las entrañas del océano inmenso,
y desde el fondo oscuro,
desde el ignoto seno,
alimenta la vida que se tiende
donde a las olas baña el sol de fuego.   40
En el oscuro abismo de tu espíritu,
sin tú mismo saberlo,
con su follaje depurando el aire
que hinche de tu alma el pecho,
vivirá vida oscura,   45
la de olvidado ensueño,
el tronco paternal a que trepabas
con infantil empeño
a recoger el codiciado fruto,
de mi boca a segar amante beso.   50

LA SACERDOTISA

«Y ahora... ¿qué quieres?»
«¡Dame otro bizcocho, mamita!»
«Te comiste ya muchos, mi hija...»
«No, si no es para mí...» «Pues entonces...»
«Te diré; la muñeca, la chica,   5
el suyo me pide... y no es justo...
ya ves... la pobrita...»
«De modo que quieres...»
«Para mí, no, para ella, mamita.»
«Pues bueno, ven, toma;   10
es en premio de la picardía.»
Y un beso de ruido
al bizcocho añadió de propina.
Y se fue vencedora y cojiendo
su muñeca la niña   15
y arrimando a su boca pintada
el bizcocho: «Cómelo, querida;
¿no lo quieres? ¿No te gusta, prenda?
Pues entonces... mira,
ya que tú no lo quieres,   20
se lo come mamita!»
La muy tuna zampóse el bizcocho;
y ello es claro como el mediodía,
el ídolo come por boca
¡claro está! de la sacerdotisa.   25

PERU Y MARICHU*

Recuerdo un cuento que de niño
oí contar;
cómo Peru y Marichu levantaron
una casa de sal.
Cayó del cielo en lluvia el agua,   5
se fue el hogar;
lo arrastró derretido por la tierra
y lo más se fue al mar.
Los cuentos de la infancia dejan
siempre su sal;   10
el agua de los años nos los lleva
del olvido a la mar.
Pero queda del alma en el fondo,
queda el solar
salado para siempre con el jugo   15
de aquella dulce edad.

Si la sal de su infancia pierde el alma
¿quién nos la salará?

[1906]

---

* Traducida al italiano por Gerardo Marone (1917). Cfr. *MUP*, pág. 103.

Caprichos

SIN SENTIDO*

Quisiera no saber lo que dijese,
nada decir, hablar, hablar tan sólo,
con palabras uncidas sin sentido
    verter el alma.

¿Qué os importa el sentido de las cosas   5
si su música oís y entre los labios
os brotan las palabras como flores
    limpias de fruto?

Palabras virginales, dulces, castas,
monorrítmicas, graves y profundas   10
palabras que recuerdan tiernas tardes
    languidecidas.

Oh, dejadme dormir y repetidme
la letanía del dormir tranquilo,
dejad caer en mi alma las palabras   15
    sonoramente.

¡Oh, la primaveral verde tibieza
que en mi pecho metiéndose susurra
secretos a mi oído y misteriosa
    nada me dice!   20

Claras mañanas de esperanza henchidas,
serenas tardes del vivir desnudo,
noches calladas de sosiego dulce,
    ¿cuál vuestra lengua?

Y luego... ¿qué? ¡No sé! Y eso ¿qué importa?   25
¡Podéis cortar donde queráis; el cuento

---

* Traducida por E. Turnbull al inglés (1952).

nunca se acaba y por lo tanto acaba
        donde se quiera!

Fluye el regato entre las frescas flores,
y es el órgano vivo cuya música   30
sirve de fondo al canto polifónico
        que alzan los pájaros.

Brotan las melodías de los nidos
y la armonía surge de las aguas,
el coro en el follaje y entre el césped   35
        concierta el órgano.

Y no calla de día ni de noche,
nos canta sin cesar su canto eterno
que como no empezó a nuestros oídos
        tampoco acaba.   40

¿Y qué dice? ¿Qué dice? Si dijera
lo que decís que dice no diría
lo que queréis que diga y al decirlo
        no le oirías[1].

Suena el regato entre las frescas flores   45
acompañando al canto de los pájaros
y si éste es de dolor y si es de júbilo
        igual el órgano.

¡Oh, no busquéis la letra, la que mata,
lo que vida nos da, buscad espíritu!   50
¿Qué ha querido decir? Prosigue... ¡déjalo!
        ¡Busca lo íntimo!

Mientras duermen los campos, el rocío
vivifica a las flores soñadoras;
duerme, mi alma, que el rocío dulce   55
        de la palabra

---

[1] *le oirías,* según la primera edición.

caerá sobre tus flores, tus sentires,
que luego beberán esa celeste
esencia de la noche, cuando el beso
     del Sol los dore.   60

¿Queréis que acabe ya? ¡Bueno! Ahí os queda
ese zumbar que deja la campana
muriéndose en el ámbito sereno
     de blanca tarde;

ese sagrado trémolo que muere   65
derretido en la luz que se derrite
cuando al Ángelus nacen las estrellas
     y se abre el cielo.

Si os dejara en el alma un vago trémolo
como el que baja de esa vieja torre,   70
que a la oración nos llama, os dejaría
     mi alma toda.

Acabo ya y continuad vosotros;
si os limpié de conceptos el espíritu
por pagado me doy de estas estrofas   75
     tan sin sentido.

SOLEMNE VERBUM*

En torno de una lámpara
que en una mesa votiva toda dora
tres sacerdotes doblan sus cabezas
tonsuradas brillando las coronas.
Parecen inclinarse en grave rito   5
de incruento sacrificio; de sus bocas,
raras palabras graves
a veces brotan.
Breves frases cortadas,
palabras misteriosas   10
y sus manos ofician
en extraño misal de sueltas hojas.
De pronto uno su brazo
alza en gesto litúrgico y entona
cual de antífona grave una palabra,   15
una palabra sola,
que es la suprema,
la decisiva: «¡Bola!»
«¡Y de solo!» Los diáconos a coro;
y uno con sorna   20
«Solemne verbum hoc; in anno solum!
—fama de latinista el hombre goza—
niquiscotiavit nos verbum solemne!»
Y volviéndose al rito, en él se engolfan
los medianeros ante Dios, de espíritu   25

---

* Describe una partida de tresillo entre clérigos. Hay tres redacciones del
poema, dos de 1906, muy poco diferenciadas, y la de *Poesías* bastante discrepante *(MUP*, págs. 95-97). Unamuno aclaró el texto en una carta a Utrillo:

... *solemnis-e* en latín es lo que sólo se verifica una vez cada año
(fiesta solemne), y que una bola de sólo apenas si se da cada año en
el tresillo. Hacer la *niquiscotia (niquiscotiare,* en macarrónico) es fasti-
diarle a uno, entre los tresillistas.

henchidos. *Ad maiorem Dei gloriam*
Ecclesiaeque Romanae...
¡Ruede la bola!

[1906]

LOS ÁNGELES DE LA GUARDA

Nuestros sendos ángeles de la guarda,
el mío y el tuyo,
entre sí ¿qué se dicen cuando estamos
tú y yo juntos?
Siendo niños —¿te acuerdas?— mi criado,   5
que no era mudo
goteaba a tu niñera en los oídos
el dulce jugo
de palabras de amor, mientras nosotros,
a nuestro gusto   10
libres, jugábamos a lo que luego
nos llevó el mundo.
¿Tienen sexo los ángeles acaso?
¡Secreto oculto!
Mas cavilando en ello un día y otro   15
ya no lo dudo.
¡Es ángela tu ángel! Mi creencia,
mira, la fundo
en cómo se distrae, cual si al oído,
con disimulo,   20
mi ángel le goteara unos requiebros
puestos en punto.
Porque mi ángel, el que como guarda
Dios me le puso,
está por mí tan bobo, tan chiflado,   25
es tal el culto
que a mi espíritu libre rinde el pobre,
que es ya un abuso,
abuso de mi parte, se comprende,
y esto no es justo.   30
Y si esto sigue así, mira, tendremos
—¡empeño rudo!—
nosotros que guardar a nuestros ángeles,
pues son tan puros...

Sonetos

Sonetos

A LA RIMA

  Macizas ruedas en pesado carro,
al eje fijas, rechinante rima,
¡con qué trabajo llegas a la cima
si al piso se te pone algún guijarro!

Al tosco buey, que no al corcel bizarro,   5
el peso bruto de tu lanza oprima,
pues al buey solo tu chirrido anima
cuando en piedras te atascas o en el barro.

Mas en tanto no quede, sin maraña,
la selva, como el mar, toda camino.   10
tira, noble corcel, de ese armatoste,

pues más te vale la coyunda extraña,
no siendo aún la libertad tu sino,
que estarte en el establo atado a un poste.

[1900]

MUERTE*

to die, to sleep... to sleep... perchance to dream.

(Hamlet, acto III, escena IV)

Eres sueño de un dios, cuando despierte
¿al seno tornarás de que surgiste?
¿Serás al cabo lo que un día fuiste?
¿Parto de desnacer será tu muerte?

¿El sueño yace en la vigilia inerte?   5
Por dicha aquí el misterio nos asiste;
para remedio de la vida triste,
secreto inquebrantable es nuestra suerte.

Deja en la niebla hundido tu futuro
y ve tranquilo a dar tu último paso,   10
que cuanto menos luz, vas más seguro.

¿Aurora de otro mundo es nuestro ocaso?
Sueña, alma mía, en tu sendero oscuro:
«morir... dormir... dormir... ¡soñar acaso!».

[1901]

---

* Para la fecha del soneto, *vid. MUP,* pág. 41. Las variantes de las ediciones anteriores a *Poesías* (se publicaron en *Arte Joven,* 1901, y *Vida Nueva,* 1902), constan en la pág. 42.

RESIGNACIÓN

Resignación, humana omnipotencia,
del valor manantial y lecho puro,
baja a mi corazón, grano maduro
que en mi mente sembró divina ciencia.

Presta osadía y a la vez paciencia   5
para luchar en el combate duro,
puesta la vista en el confín futuro,
Resignación activa, a mi conciencia.

Rompe del egoísmo el fatal sino,
la costra que tupida te sofoca,   10
liberta al Hombre de tu yo mezquino,

descubre de tu espíritu la roca,
y la piedad de manantial divino
en corriente fluirá que no se apoca.

PIEDAD*

Busca de tu alma la raíz divina,
lo que a tu hermano te une y asemeja
y del puro querer que te aconseja
aprende fiel la santa disciplina.

Oye a tu humanidad cual te adoctrina: 5
«Todos soy yo, en mi alma se refleja
todo placer y toda humana queja»
y del falso vigor siempre abomina.

Los débiles forjaron la patraña
de que no obras de amor, sino de ira   10
todo progreso cual cimiento entraña,

mas en vano la mente con mentira
la luz del corazón cuida que empaña,
que al fuerte siempre la piedad le inspira.

---

* Señala García Blanco en su edición de *Poesías* que éste y el soneto siguiente fueron incluidos por Valera en su *Florilegio de poesías castellanas del siglo XIX,* Madrid, 1904, t. IV, págs. 346-347. La forma definitiva difiere mucho
de la que editó el autor de *Pepita Jiménez.*

FORTALEZA

Si aspiras, como dices, a ser fuerte
no busques la engañosa fortaleza
de quien viril creyendo a la dureza
labra la ruina de su propia suerte.

Escucha al corazón que fiel te advierte   5
que lo que no es amor sólo es flaqueza
y el único el amor que con firmeza
da vida y vence a la implacable muerte.

Sin odio y de piedad el alma henchida
tomándote por firme fundamento   10
siga el recto camino de mi vida,

a conquistar el porvenir atento,
reino de libertad que nos convida
a posar en su suelo nuestro asiento.

FE

No ya la fe, la voluntad levanta
las montañas sacándolas de asiento,
mas en aquélla cobra entendimiento
y en la propia conciencia se agiganta.

Querer creer poder; tal es la santa   5
procesión que al esfuerzo da sustento,
entre el quiero y el puedo de cemento
hace la fe que al héroe abrillanta.

Tengámosla, no importa en lo que sea
fe pura y libre y viva, abrasadora,   10
la que en la misma acción destruye y crea,

anímico Saturno que devora
al propio dogma que engendró en la Idea,
fe en la fe misma, ¡inacabable aurora!

ROSARIO DEL AMOR

—¿Me quieres?
      —¡Sí!
            —No digas sí...
                    —¡Te quiero!
—Di que me quieres otra vez...
                  —Te adoro...
—Te adoro... ¡no!
            —¡Te quiero, mi tesoro,
mi bien, mi vida, mi universo entero!

No creo más que en ti, sólo en ti espero,   5
tu amor no más, ¡no más tu amor imploro!
—Otra vez dímelo, piquito de oro,
¿me quieres, di?
        —¡Dímelo tú primero!

Así las cuentas del rosario pasan,
rosario del amor, llegan a un gloria   10
donde las bocas en silencio casan,

y a otro misterio van... La eterna historia
en que con goces su miseria amasan,
de olvido alimentando a la memoria.

NIÑEZ*

Vuelvo a ti, mi niñez, como volvía
a tierra a recobrar fuerzas Anteo,
cuando en tus brazos yazgo, en mí me veo,
es mi asilo mejor tu compañía.

De mi vida en la senda eres la guía   5
que me aparta de todo devaneo,
purificas en mí todo deseo,
eres el manantial de mi alegría.

Siempre que voy en ti a buscarme, nido
de mi niñez, Bilbao, rincón querido   10
en que ensayé con ansia el primer vuelo,

súbeme de alma a flor mi edad primera
cantándome recuerdos, agorera,
preñados de esperanzas y de consuelo.

[1901]

---

* *Vid.* nota al soneto *Muerte* (pág. 306).

MEMNÓN*

Dormitando su vida el cocodrilo
bebe sangre del Sol en la ribera,
mientras toma el beduino por cantera
la Esfinge que en la arena buscó asilo.

Duerme el Pasado junto al sacro Nilo   5
con el alma en granito prisionera[1],
y en el pétreo Memnón su fallo espera
mirando al cielo con mirar tranquilo.

Mas cuando allá del alba en el oriente
rompe la luz en río caudaloso   10
inundando de vida en un torrente

el seno de la Historia tenebroso,
toma de ésta la voz y en himno hirviente
leve oración al Sol reza el coloso.

[1900]

---

* Incluido también en el *Florilegio* de Valera (IV, 346). Hay una versión autógrafa —carta a Rubén Darío— de 1900, que tiene bastantes variantes con respecto a *Poesías (MUP,* pág. 36).

La estatua de Amenofis III, «hendida por un terremoto que cantaba al salir el sol (la ebullición del rocio)»; los griegos la creyeron «Memnón, hijo de la Aurora que saludaba a su madre» *(ibíd.).*

[1] *prisionero* es error de las *O.C.*

AL DESTINO*

En inquietud ahógame el sosiego
tu secreto velándome, Destino,
no me dejes parar en mi camino,
sin inquirirte te obedezca ciego.

Ni hora me des de queja ni de ruego,   5
aguíjeme tu pica de contino,
y que en el mundo, insomne peregrino,
a cuestas lleve de mi hogar el fuego.

Quiero mi paz ganarme con la guerra,
conquistar quiero el sueño venturoso,   10
no me des ocio el que tu entraña encierra

de esclarecer enigma tenebroso,
y cuando al seno torne de la tierra,
haz que merezca el eternal reposo.

[1901]

---

* *Vid.* nota al soneto *Muerte* (pág. 306).

Traducciones

He de hacer notar respecto a las traducciones que en ellas me he esforzado por conservar, en lo posible, el ritmo y la forma toda de los originales, tendiendo a que sean, a la vez que artísticas, literales. Lo mismo en *La Retama* que en las dos composiciones de Carducci y en la de Maragall, he respetado el verso libre italiano —y catalán en el último caso. Sabido es, en efecto, que en los versos libres italianos no se rehúye sistemática y artificiosamente los asonantes —los hay hasta cuatro seguidos— ni aun los consonantes.

Y como no es de creer que los italianos tengan el oído menos delicado ni menos cultivado que nosotros los españoles, fuerza es convenir que la prescripción técnica que aquí priva no pasa de ser, como tantas otras de nuestra ridícula preceptiva poética, una dificultad convencional ideada para encubrir con el artificioso vencimiento de ella la vacuidad de fondo poético.

Nuestra tradicional preceptiva abunda, en efecto, en reglas ridículas, no fundadas en principio alguno estético e ideadas no más que para crear dificultades que vencer reduciendo el arte a *virtuosidad* técnica.

Me parecía una inconsecuencia y un atentado traducir en verso consonante o siquiera asonante poesías que en su original están en verso libre, y una ñoñería evitar en este verso asonancias que los autores traducidos no evitaron en el original.

Y en cuanto al oído, ni éstos son versos para ponerlos en música de baile, ni el oído preceptivo tradicional en España es nada respetable. Hora es, además, que aprendamos a no declamar los versos acompañándonos de metrónomo mecánico[1].

---

[1] Estos criterios de Unamuno eran compartidos por su amigo Maragall: «¡Cuán igual es su sentimiento al mío, respecto al valor de las traducciones! No sólo diría yo lo mismo que V.: sino que lo diría con las mismas palabras» *(EUM,* pág. 49).

SOBRE EL MONTE MARIO*

De Carducci

Se alzan solemnes sobre el monte Mario
en el claro aire quieto los cipreses,
cual corre mudo por los grises campos
    miran al Tíber;

miran abajo, en el silencio a Roma   5
cómo se extiende, y cual pastor gigante
que vela a un gran rebaño, ven enfrente
    surgir San Pedro.

De la colina aquí en la cumbre, amigos,
mezclad el vino, donde el sol se quiebre,   10
y sonreíd, oh hermosas, que mañana
    nos moriremos.

Lálage, intacto al oloroso bosque
deja el laurel que eternidad se arroga,
o de tu negra cabellera adorno,   15
    le ceda en brillo.

A mí entre el verso que preñado vuela
venga la alegre copa y de la rosa
la suave flor fugaz que al duro invierno
    consuela y muere.   20

---

* Se sabe que la traducción estaba hecba a finales de 1906 (de ella habla en una carta a Marquina del 19 de diciembre), cfr. *MUP*, pág. 105. El poema de Carducci pertenece al *Libro II* de las *Ode Barbare* (núm. XLII). La motivación del poema está inspirada en un paseo que por la colina hizo acompañado de la poetisa Adela Bergamini. El original italiano se escribió a comienzos de 1882. Unamuno respeta el metro de Carducci.

Moriremos mañana cual murieron
los que quisimos; pronto de las mentes,
de los afectos tenues sombras leves,
    nos borraremos.

Moriremos, y siempre fatigosa
en torno al sol se volverá la tierra,   25
vidas, cual chispas, rociando a miles,
    a cada instante,

de amores nuevos agitadas vidas,
y que se agiten para nuevas luchas,   30
y que del porvenir a nuevos númenes
    canten los himnos.

Y oh no nacidos, a que irá la antorcha
que de la mano se nos va, vosotros,
también os perderéis en lo infinito,   35
    radiosas tropas.

¡Adiós, tú, madre de mi breve espíritu,
tierra, y del alma fugitiva! ¡Cuánto
en torno al sol has de llevar perenne
    dolor y gloria!   40

Hasta que bajo el ecuador rendida
a las llamadas del calor que huye
la ajada prole una mujer tan sólo
    tenga y un hombre,

que erguidos entre trozos de montañas   45
en muertos bosques, lívidos, con ojos
vítreos te vean sobre inmenso hielo
    ¡oh sol, ponerte!

                [1906 o antes]

LA RETAMA

De Jacobo Leopardi

Aquí, en la árida falda
del formidable monte,
desolador Vesubio,
a quien ni árbol ni flor alguna alegran
tu césped solitario en torno esparces,   5
olorosa retama,
contenta en los desiertos. Te vi antes
adornar con tus matas la campiña
que circunda la villa
que del mundo señora fue en un tiempo,   10
y del perdido imperio
parecen con su aspecto grave y triste
ofrecer fe y recuerdo al pasajero.
Vuelvo hoy a verte en este suelo, amante
de desiertos lugares de tristeza   15
de afligida fortuna siempre amiga.

Estos campos sembrados
de ceniza infecunda y recubiertos
de empedernida lava
que resuena so el paso al peregrino   20
en que anida y tomando el sol se enrosca
la sierpe, y donde vuelve
el conejo a su oscura madriguera
fueron cultas y alegres
ciudades y mies rubia, fueron eco   25
de mugir de rebaños,
palacios y jardines
para ocio de los ricos[1]
grato refugio, y ciudades famosas

---

[1] *O. C.*, XIII, pág. 480, por error, *pasa.*

a las que fulminando por su boca   30
torrentes ígneos el altivo monte
con su pueblo oprimió. Todo hoy en torno
una rüina envuelve
donde tú, flor hermosa, hallas tu asiento
y cual compadeciendo ajeno daño   35
mandas al cielo perfumado aroma
que al desierto consuela. A estas playas
venga aquel que acostumbra con elogio
ensalzar nuestro estado, verá cómo
natura en nuestra vida   40
amorosa se cuida. El poderío
en su justa medida
podrá estimar de la familia humana
a la que sin piedad, en un momento
su nodriza, con leve movimiento,   45
cuando menos lo espera, en parte anula
y con poco más puede en un instante
del todo deshacerla.
Ved de la gente humana
pintada en esta playa   50
la suerte progresiva y soberana.
    Mírate en este espejo,
siglo soberbio y loco,
que el camino marcado
de antiguo al pensamiento abandonaste,   55
y tus pasos volviendo,
tu retorno procura.
Tu inútil charla los ingenios todos
de cuya suerte el padre te hizo reina
adulan, mientras tanto   60
que tal vez en su pecho
hacen de ti ludibrio.
Con tal baldón no bajaré so tierra,
¡y bien fácil me fuera
imitarlos y adrede desbarrando   65
serte grato cantándote al oído!
Mas antes el desprecio que en mi pecho
para contigo guardo

329

mostraré lo más claro que se pueda,
aunque sé que el olvido   70
cae sobre quien increpa a su edad propia.
De este mal que contigo
participo me río yo hasta ahora.
Soñando libertad, al par esclavo
queréis al pensamiento,   75
el solo que nos saca
de la barbarie en parte: y por quien solo
se crece en la cultura; él sólo guía
a lo mejor los públicos negocios.
La verdad te disgusta,   80
del último lugar y áspera suerte
que natura te dio. Por eso tornas
cobarde las espaldas a la lumbre
que nos la muestra, y fugitivo, llamas
a quien la sigue, vil,   85
y tan sólo magnánimo
al que con propio escarnio o de los otros
o ya loco o astuto redomado
exalta hasta la luna el mortal grado.

  El hombre pobre y de su cuerpo enfermo   90
que tenga el alma generosa y grande,
ni se cree ni se llama
rico de oro o gallardo,
ni de espléndida vida y de excelente
salud entre la gente   95
hace risible muestra;
mas de riqueza y de vigor mendigo
sin vergüenza aparece; así se llama
cuando habla francamente y a sus cosas
las estima en lo justo.   100
Nunca creí magnánimo
animal, sino necio,
el que a morir viniendo a nuestro mundo,
y entre penas criado, aún exclama
«¡para el goce estoy hecho!»   105
Y de fétido orgullo
páginas llena, gloria grande y nueva

felicidad que el pueblo mismo ignora,
no ya el orbe, en el mundo prometiendo
a pueblos que una onda   110
del mar turbado, un soplo
de aura maligna, un soterraño empuje,
de tal modo destruye, que memoria
de ellos apenas queda.
Índole noble aquella   115
que a alzar se atreve frente el común hado
ojos mortales, y con franca lengua
sin amenguar lo cierto,
confiesa el mal que nos fue dado en suerte;
¡estado bajo y triste!,   120
la que arrogante y fuerte
se muestra en el sufrir, y ni odio ni ira
de hermanos los más graves
de los daños, agrega
a sus miserias, inculpando al hombre   125
de su dolor, sino que culpa a aquella
culpable de verdad, de los mortales
madre en el parto, en el querer madrastra.
A ésta llama enemiga, y comprendiendo
que ha sido unida a ella   130
y ordenada con ella en un principio
la humana compañía,
los hombres todos cree confederados
entre sí, los abraza
con amor verdadero, les ofrece   135
y espera de ellos valerosa ayuda
en las angustias y el peligro alterno
de la guerra común. Y a las ofensas
del hombre armar la diestra, poner lazo
y tropiezo al vecino,   140
tan torpe juzga cual sería en campo
que el enemigo asedia, en el más rudo
empuje del asalto,
olvidando al contrario acerba lucha
emprender los amigos   145
sembrar la fuga y fulminar la espada

entre sí los guerreros.
Cuando tales doctrinas
vuelvan a ser patentes para el vulgo,
y aquel horror pristino   150
que ató a los hombres en social cadena
sabiduría vuelva a renovarlo,
el sencillo y honesto
comercio de las gentes,
la piedad, la justicia, raíz distinta   155
tendrán entonces, y no vanas fábulas
en que se funda la honradez del vulgo
cual en pie se sustenta
quien su cimiento en el error asienta[2].
    Con frecuencia en la playa   160
desierta, que de luto
de lava el flujo endurecido viste,
paso la noche viendo
sobre la triste landa
en el nítido azul del puro cielo   165
llamear de lo alto las estrellas
que a lo lejos refleja el oceano
y a chispazos brillar en torno todo
por la serena bóveda del mundo.
Cuando fijo mi vista en esas luces   170
que un punto nos parecen,
cuando son tan inmensas
que la tierra y el mar son a su lado
un punto, y a las cuales
no sólo el hombre, sino el globo mismo   175
donde nada es el hombre
ignotos son del todo, y cuando veo
sin fin, aún más remotos
los tejidos de estrellas
que niebla se nos muestran, y no el hombre   180
no ya la tierra, sino todo en uno
el número de soles infinito,
nuestro áureo sol, mientras estrellas todas

---

[2] En *O. C.*, XIII, pág. 483, *quien su remedio,* no sé con qué fundamento.

desconocen, o bien les aparecen
como ellas a la tierra,   185
luz nebulosa; ante mi mente entonces
¿cómo te ostentas, prole
del hombre? Y recordando
tu estado terrenal, de que da muestra
este suelo que piso, y de otra parte   190
que tú fin y señora
te crees de todo, y que tantas veces
te agrada fantasear en este oscuro
grano de arena que llamamos Tierra
que los autores de las cosas todas   195
a conversar bajaron con los tuyos
por tu causa, y ensueños
ridículos y viejos renovando
insulta al sabio hasta la edad presente
que en saber y cultura   200
sobresalir parece; mortal prole,
prole infeliz; ¿qué sentimiento entonces
me asalta el corazón para contigo?
No sé si risa o si piedad abrigo.

   Como manzana que al caer del árbol   205
cuando en el tardo otoño
la madurez tan sólo la derriba,
los dulces aposentos de hormiguero
cavado en mollar tierra
con gran labor, las obras,   210
las riquezas que había recojido
la asidua tropa con fatiga grande
próvidamente, en el estivo tiempo
magulla, rompe y cubre;
desplomándose así desde lo alto   215
del útero tonante,
lanzada al hondo cielo,
de cenizas, de pómez y de rocas
noche y ruina, llena
de hirvientes arroyuelos,   220
o bien ya por la falda,
furioso entre la yerba,

de liquidadas masas
y de encendida arena y de metales
bajando inmenso golpe,   225
las ciudades que el mar allá en la extrema
costa bañaba, sume
rotas y recubiertas
al momento; donde hoy sobre ellas pace
la cabra, o pueblos nuevos   230
surgen allí, cual de escabel teniendo
los sepultos; y los muros postrados
a su pie pisotea el monte duro.
No estima la natura
ni cuida más al hombre   235
que hace a la hormiga, y si en aquél más raro
el estrago es que en ésta,
tan sólo esto se funda
en que no es una especie tan fecunda.
    Mil ochocientos años   240
ha ya desaparecieron oprimidos
por el ígneo poder aquellos pueblos,
y el campesino atento
al viñedo que en estos mismos campos
nutre el muerto terruño de ceniza   245
levanta aún la mirada
suspicaz a la cumbre
que inflexible y fatal hoy como siempre
tremenda se alza aún, aún amenaza
con la ruina a su hacienda y a sus hijos,   250
¡los pobres! ¡Cuántas veces
el infeliz yaciendo
de su pobre casucha sobre el techo
toda una noche, insomne al aura errante
o a las veces brincando, explora el curso   255
del temido hervidero que se vierte
del inexhausto seno
a la arenosa loma, el cual alumbra
de Capri la marina,
de Nápoles el puerto y Mergelina!   260
Si ve que se da prisa, si en el fondo

del doméstico pozo oye del agua
borbotar el hervor, a sus hijitos,
a su mujer despierta, y al instante
con cuanto puede de lo suyo huyendo   265
desde lejos contempla
su nido y el terruño
que del hambre les fue el único abrigo
presa de la onda ardiente
que crepitando se le viene encima   270
¡y sobre él para siempre se despliega!
Torna al celeste rayo
después de largo olvido la extinguida
Pompeya, cual sepulto
cadáver que de tierra   275
vuelve a la luz la piedad o la avaricia,
y a través de las filas
de truncadas columnas
el peregrino desde el yermo foro
lejos contempla las gemelas cumbres   280
y la cresta humeante
que aún amenaza a la esparcida ruina.
Y en el horror de la secreta noche
por los deformes templos,
por los circos vacíos, por las casas   285
en que esconde el murciélago sus crías,
como rostro siniestro
que en desiertos palacios se revuelve
corre el fulgor de la funérea lava
que enrojece las sombras a lo lejos   290
y tiñe los lugares del contorno.
Así, ignara del hombre y de los siglos
que él llama antiguos, de la serie toda
de abuelos y de nietos,
Naturaleza, verde siempre, marcha   295
por tan largo camino
que inmóvil nos parece.
El tiempo imperios en su sueño ahoga,
gentes e idiomas pasan; no lo ve ella
y en tanto el hombre eternidad se arroga.   300

Y tú, lenta retama,
que de olorosos bosques
adornas estos campos desolados,
también tú pronto a la cruel potencia
sucumbirás del soterraño fuego   305
que al lugar conocido retornando
sobre tus tiernas matas
su avaro borde extenderá. Rendida
al mortal peso inclinarás entonces
tu inocente cabeza.   310
Mas en vano hasta tanto no la doblas
con cobardía suplicando en frente
del futuro opresor;
ni tampoco la yergues
a las estrellas con absurdo orgullo   315
en el desierto, donde
nacimiento y vivienda,
no por querer, por suerte has alcanzado.
¡Eres más sabia y sana
que el hombre, en cuanto nunca tú has pensado   320
que inmortales tus tallos
se hayan hecho por ti o por el hado!

[1899][3]

[3] Para la fecha, y otras circunstancias del poema, cfr. *MUP*, págs. 32-34. Sobre el valor de la traducción, F. F., «Un "nuevo" Leopardi. Traducción, prólogo y notas de Diego Navarro. Los errores de Menéndez Pelayo y Unamuno», *Índice de Artes y Letras*, VI, 1951, pág. 5. Otra vertiente de la cuestión es estudiada por Alessandro Martinengo, «España y español en Leopardi» *(Anuario
de Filología*, Universidad de Zulia, VIII-IX, 1969-1970, págs. 137-163).

REFLEXIONES

AL TENER QUE DEJAR UN LUGAR DE RETIRO*

De Samuel Taylor Coleridge

Sermoni propriora
HORACIO

¡Nuestro lindo cortijo era muy bajo!
Subía hasta alcanzar a la ventana
la rosa más talluda. A media noche
podíamos oír en el silencio
y a la tarde, y al alba, en tono lánguido   5
el murmullo del mar. Al aire libre
nuestros mirtos abiertos florecían;
los jazmines espesos se abrazaban
a lo largo del porche, y el paisaje
verde y tupido refrescaba al ojo.   10
¡Era un rincón que merecía el nombre
de valle del Retiro! En él vi un día
(santificando en calma su domingo)
que divagaba un rico comerciante
ciudadano de Bristowa; fíngime   15
que la sed de oro inútil le calmaba
con más cuerdo sentir, porque paróse

---

* Esta traducción suele ir aducida con la anterior en el epistolario de Unamuno; véase —pues— la nota precedente.

Las *Reflections on having left of retirement* se escribieron en 1795. Un año después vieron la luz en el *Monthy Magazine;* se recogieron en las *Lirycal Ballads*
de 1797 y 1803, pasando más tarde (desde 1871) al libro *Sibylline Leaves*
(cfr. la excelente edición *Poetical Works,* preparada por Ernest Hartley Coleridge, ed. 1967, pág. x del *Preface;* el texto se incluye en las páginas 106-107).

a mirar registrando todo en torno
con tristor placentero, y su mirada
fijóse en el cortijo, y que de nuevo   20
volvía a registrarlo y sollozaba
diciendo que era aquel lugar bendito;
y benditos quedamos. Con frecuencia
con oído paciente atento escucho
de la invisible alondra la alta nota   25
(invisible, o tan sólo en un momento
feliz viendo brillar al sol sus alas)
y «tal» —digo yo entonces— «es el canto
que brota de la dicha sin estorbo...
¡no terrenal concierto! ¡Sólo oído   30
cuando a escuchar el alma se apercibe,
cuando todo se calla, y en nosotros
atiende el corazón!»
                    Pero, ¡ay qué día
el que subí desde el profundo valle
al pedregoso cerro, con peligro   35
trepando hasta alcanzar el alta cima!;
¡cuán divina la escena! Allí desnuda
de la montaña la imponente mole
moteada acá y allá con las ovejas,
las pardas nubes derramando sombra   40
en los campos de sol, en las riberas,
ya resguardadas por tupidas rocas!
ya que brillantes se entrelazan plenas
con las desnudas márgenes; ¡cañadas,
las praderas, el bosque y la abadía,   45
y granjas de labor y lugarejos
y la indecisa aguja de la iglesia!
Aquí el Canal, las islas, blancas velas,
negras costas, colinas que semejan
ser de nube, oceano sin orillas,   50
¡la omnipresencia en torno! Dios parece
que aquí se ha alzado un templo; ¡el mundo entero
de su vasta extensión en el contorno
parecíame imagen en pintura!
Ningún deseo al corazón henchido   55

me profanaba impuro. ¡Hora bendita!
¡Era entonces un lujo la existencia!

¡Quieto cortijo! ¡Reposado valle!
¡Monte sublime! ¡Ay, me fue preciso
abandonaros! ¿Era acaso justo   60
que mientras sangran y trabajan lejos
innúmeros hermanos, yo soñara
dejando transcurrir prestadas horas
sobre lechos de pétalos de rosa,
el corazón cobarde adormecido   65
con sentimientos de molicie inútil?
La lágrima caída de los ojos
de algún Howard, quedando en la mejilla
de aquel a quien levanta de la tierra,
dulce lágrima es; mas quien con rostro   70
impasible, algún bien me concediese
no más que a medias su servicio cumple,
porque él mientras me ayuda así me hiela,
mi bienhechor de cierto, ¡no mi hermano!
Mas aun tan frío hacer el bien merece   75
mis alabanzas, cada vez que pienso
en la legión de aquellos que se fingen
de haragana Piedad fácil imagen;
que suspiran pensando en la miseria
pero evitan tocar al miserable,   80
en deliciosa soledad nutriendo
su delicada compasión, ¡y en ella
alimentando al perezoso amor!
Me marcho, pues; ¡voy a juntar en uno
el corazón, la mano y la cabeza,   85
me marcho activo y firme a la pelea,
a combatir en el combate incruento
de libertad, verdad y ciencia en Cristo!
Mas ¡cuántas veces tras la honrosa brega,
cuando repose a descansar mi espíritu   90
y a soñar en amores que despiertan,
caro cortijo, a visitarte vaya!
Tu jazmín y la rosa que asomaba

en su tallo subiendo a la ventana,
los mirtos que sin miedo se mecían   95
en la brisa del mar tibia y serena...
suspiraré deseos, mansión dulce,
mejor que tú que no la tenga nadie,
y ¡que una como tú todos posean![1].

[1899]

---

[1] En *O. C.*, XIII, pág. 491, *pocos* por *todos;* lectura no amparada en testimonios y contraria, me parece, al espíritu del poema.

LA VACA CIEGA

Del catalán, de Juan Maragall

En los troncos topando de cabeza,
hacia el agua avanzando vagarosa
del todo sola va la vaca. Es ciega.
De una pedrada harto certera un ojo
le ha desecho el boyero y en el otro   5
se le ha puesto una tela: es vaca ciega.
Va a abrevarse a la fuente a que solía[1]
mas no, cual otras veces, con firmeza,
ni con sus compañeras, sino sola.
Sus hermanas por lomas y encañadas,   10
por silencio de prados y riberas
hacen sonar la esquila mientras pastan
yerba fresca al azar, ella caería.
Topa de morro en la gastada pila,
afrentada se arredra, pero torna,   15
dobla la frente al agua y bebe en calma.
Poco y casi sin sed; después levanta
al cielo, enorme, la testuz cornuda

---

* El poema ha sido traducido repetidas veces al castellano —desde Marquina a Dámaso Alonso— y es aducido con frecuencia en el *EUM*. En la primera carta de Unamuno a Maragall (6 de junio de 1900), don Miguel dice: «Más de una vez he apacentado mi espíritu en sus *Poesías,* y una de éstas, *La vaca cega,* hace tiempo que me la sé de memoria de puro leerla y recitarla a otros. Es una de las poesías más puramente poéticas que conozco» *(EUM,* pág. 22). Meses después (3 de noviembre) le hablaba de su libro de poemas y de la traducción de *La vaca ciega (ibíd.,* pág. 25). El 26 de noviembre de 1906, Maragall corregía la traducción de don Miguel («es un portento») en la que se había deslizado algún yerro de cuenta (págs. 42-43), que Unamuno, noblemente, reconoció.

Cfr. *MUP,* pág. 33, y, especialmente, las 39-41.

[1] *en que (O. C.,* XIII, pág. 493) no es lectura correcta; véase además lo que dice el propio García Blanco en *MUP,* pág. 39.

con gesto de tragedia, parpadea
sobre las muertas niñas y se vuelve   20
bajo el ardiente sol de lumbre huérfana,
por sendas que no olvida vacilando,
blandiendo en languidez la larga cola.

[1900]

MIRAMAR*

De Carducci

Oh Miramar, hacia tus blancas torres[1]
atediadas so el plomizo cielo,
foscas, con vuelo de siniestras aves
    vienen las nubes.

Oh Miramar, en contra tus granitos   5
grises del torvo piélago surgiendo,
con rebramido de almas angustiadas
    baten las ondas.

Tristes, bajo las nubes, a los golfos
contemplan con sus torres las ciudades,   10
Muggia, y Pirano y Egida y Parenzo
    del mar joyeles.

Y las cóleras todas bramadoras
empuja el mar contra el bastión de escollos
donde te asomas a ambas vistas de Adria   15
    roca de Habsburgo.

Y truena el mar en Nabresina, cabe
a la herrumbrosa costa, y de relámpagos
coronada la frente alza en el fondo
    Trieste a las nubes.   20

---

* *Vid. MUP*, págs. 67-69. El poema está incluido en el *Libro I* de las *Odi Barbare* (núm. XXII). Siete kilómetros al norte de Trieste está el castillo de Miramar, construido por Fernando Maximiliano de Austria; en este castillo vivieron Maximiliano y Carlota hasta la desdichada aventura de Méjico. Carducci estuvo en Trieste en julio de 1878; empezó la oda un mes después y no la terminó hasta septiembre de 1889. Unamuno utiliza la misma estrofa del original.

[1] Los nombres de los pueblos están correctamente transcritos en mi texto.

¡Cuál sonreía todo en la mañana
dulce de abril en que a la mar se hizo
el rubio Emperador y al lado suyo
la dama hermosa!

Irradiaba en su rostro placentera   25
la apostura imperial, y de su dama
los ojos arrogantes y cerúleos
sobre el mar iban.

¡Adiós, castillo para tiernos goces
nido de amores construido en vano,   30
otra aura a los esposos arrebata
a yermos mares!

Esperanzados abandonan salas
historiadas de triunfos y sentencias
del Saber, al señor el Dante y Goethe   35
háblanle en vano

desde animados lienzos, una Esfinge
le atrae con vista móvil a las ondas;
cede, y a medio abrir deja allí el libro
del Romancero.   40

Oh, no de amor y de ventura el canto
allá le acoja y sones de guitarras
de los aztecas en la España; ¿el aura
cuáles lamentos

trae desde el triste cabo de Salvore   45
en el ronco quejido de las ondas?
¿Canta los muertos vénetos, los hados
canta de Istría?

En hora mala a nuestro mar te metes
hijo de Habsburgo en la Fatal *Novara;*   50
las Furias van contigo a los vientos
¡las alas abren!

Mira a la Esfinge cual muda semblante
delante tuyo pérfida arredrando;
a tu mujer su rostro blanco arrima   55
    Juana la Loca.

La segada cabeza de Antonieta
ve que te guiña, con podridos ojos
fijos en ti, ve la amarilla cara
    de Moctezuma.   60

Entre bosques imnensos de magueyes
que ya benignas no mecen las brisas
en las tinieblas tropicales se alza
    en su pirámide

el dios que llamas lívidas aspira   65
Huitzilipotli que tu sangre husmea[2]
y el mar con la mirada navegando
    aúlla: ¡vente,

cuánto ha te espero... La barbarie blanca
quebróme el reino y destruyó mis templos!   70
¡Vente, devota víctima, retoño
    de Carlos Quinto!

No a tus viles abuelos por la podre
marchitos o en furor regio abrasados,
¡te quería y te cojo a ti, de Habsburgo   75
    flor rediviva!

Y de Guatimozín al alma heroica
que bajo el pabellón del Sol aún reina,
cual ofrenda te mando, ¡oh puro y fuerte
    Maximiliano!   80

                                        [1904]

_____

[2] Errónea la lectura de las *O. C.* Cfr.: «il tuo sangue fiuta [= 'huele, husmea']».

Colección Letras Hispánicas

DE PRÓXIMA APARICIÓN